DEVOCIONÁRIO DE
SÃO JOSÉ DE ANCHIETA
Apóstolo e Padroeiro do Brasil

BRUNO FRANGUELLI, SJ

DEVOCIONÁRIO DE
SÃO JOSÉ DE ANCHIETA
APÓSTOLO E PADROEIRO DO BRASIL

EDITORA
SANTUÁRIO

Direção editorial:	Pe. Fábio Evaristo R. Silva, C.Ss.R.
Conselho editorial:	Ferdinando Mancilio, C.Ss.R.
	José Uilson Inácio Soares Júnior, C.Ss.R.
	Marcelo da Rosa Magalhães, C.Ss.R.
	Mauro Vilela, C.Ss.R.
	Victor Hugo Lapenta, C.Ss.R.
Coordenação editorial:	Ana Lúcia de Castro Leite
Revisão:	Sofia Machado
Diagramação e capa:	Bruno Olivoto

ISBN 978-85-369-0592-1

1ª impressão

Todos os direitos reservados à **EDITORA SANTUÁRIO** – 2019

Rua Pe. Claro Monteiro, 342 – 12570-000 – Aparecida-SP
Tel.: 12 3104-2000 – Televendas: 0800 - 16 00 04
www.editorasantuario.com.br
vendas@editorasantuario.com.br

PREFÁCIO

Iniciamos o século XXI carentes, em todos os níveis, de uma boa liderança, referência e modelo de ser humano. Mas uma luz despontou como farol a nos guiar pelo senso da sabedoria, da fraternidade e da vivência cristã: o **papa Francisco**. Jesuíta que, por sua abertura e acolhida a todos, deixa transparecer suas raízes inacianas.

São José de Anchieta também é formado na mesma escola espiritual de Santo Inácio de Loyola. Espiritualidade que ele vai abraçar com toda a alma, com todo o entendimento, com toda a força. Regra que vai seguir à risca, deixando-se conduzir pela suprema vontade de Deus.

Consideremos a vida desse Jesuíta espiritual e obediente, São José de Anchieta, para que sejamos seus devotos e, principalmente, imitemos o exemplo de suas virtudes. José de Anchieta, ainda muito jovem, escolheu uma vida santa e pura, em meio a tantas oportunidades de pecado durante seus estudos universitários. Sua consagração a Nossa Senhora foi também uma escolha de coragem, como também foi corajosa sua escolha pela vida religiosa na, ainda nascente, Companhia de Jesus, e seu pedido para ser enviado em missão para terras, até então, desconhecidas.

Edificados com o exemplo de santidade de São José de Anchieta, amado apóstolo e padroeiro do Brasil, confiamos em sua intercessão pelas necessidades do Brasil.

Percorrendo as pegadas de Anchieta em cidades do Rio Grande do Norte, em Salvador, Porto Seguro, Arraial d'Ajuda, Nova Almeida, Vitória, Guarapari, Anchieta, Presidente Kennedy, Niterói, São Pedro da Aldeia, Rio de Janeiro, Campos dos Goytacazes, Ubatuba, Bertioga, Santos, São Vicente, São Paulo, Embu das Artes, São Miguel Paulista, Guarulhos, Itanhaém, Peruíbe e outros tantos lugares, encontramos os registros de seus milagres e suas obras de inflamada caridade. Por seus portentos e dons espirituais, os indígenas o chamavam de "Padre Voador", ou seja, o *"Abba Sumé"*. O Brasil ainda não se deu conta da grandeza desse santo que tocou nossas terras.

Como bem disse um dos grandes biógrafos de Anchieta, o Pe. Armando Cardoso, SJ: "A maior lição de Anchieta não foi o latim, nem a instrução das primeiras letras, nem a língua tupi. Foi o amor, a força que vence tudo. Era a primeira lição aos irmãos seminaristas que aprendiam, em latim, a frase: 'A tudo vence o amor e nós sejamos vencidos por ele!'"

Este devocionário, que temos em mãos, além da breve biografia e da novena com a oração do santo, recolhe também algumas tradições de São José de Anchieta: a **Oração do manto**, que o protegia das intempéries e cuja relíquia se encontra em exposição no Pateo do Collegio em São Paulo; a bênção da **Água de Anchieta**, pois existem inúmeros poços abertos pelo santo ao longo da costa brasileira. Podemos encontrar também nesta obra a **Bênção da Rosa** de São José de Anchieta, pois em São Paulo existe a mesma espécie de rosas, que floresce nas Ilhas Canárias, onde Anchieta nasceu. Acredita-se que o próprio jovem missionário tenha trazido essa rosa ao Brasil. Foi ele próprio quem introduziu o rito da bênção das rosas, no colégio dos jesuítas em São Paulo. Além de outras orações e canções ligadas à espiritualidade anchietana, o devoto de Anchieta também encontrará a **meditação do Santo Rosário**, com textos extraídos das valiosas composições do Apóstolo do Brasil, principalmente do "Poema da Virgem". O devoto também poderá conhecer alguns dos escritos de São José de Anchieta, as homilias de sua beatificação e canonização e a liturgia da Missa solene do Padroeiro do Brasil.

Edificados com o exemplo de santidade de São José de Anchieta, amado apóstolo e padroeiro do Brasil, vamos confiar em sua poderosa intercessão e pedirmos as graças que necessitamos receber, com este devocionário.

Temos muito o que agradecer ao Pe. Bruno Franguelli, SJ, pelo lindo trabalho de compor este devocionário com esta novena tão rica, poética e fundamentada nos escritos e no grande talento desse nosso Santo Padroeiro do Brasil.

Deus abençoe, com abundantes graças, todos os devotos de São José de Anchieta!

Pe. Nilson Marostica, SJ
Reitor do Santuário Nacional São José de Anchieta

3 de abril de 2019
5º ano da Canonização de São José de Anchieta

QUEM FOI O GRANDE APÓSTOLO DO BRASIL?

Um exemplo para nossos dias

Habitamos em um século que, apesar de jovem, já se apresenta com grandíssimos desafios. É incrível perceber como em um momento como o nosso, no qual nos admiramos com o inusitado desenvolvimento tecnológico em tantas áreas e dimensões, a vida humana parece correr mais risco do que nunca. Conseguimos ampliar nossas possibilidades para acessar lugares longínquos em pouco tempo, estabelecer contatos com tantas pessoas de um modo totalmente novo. Mas é possível afirmar que, por incrível que pareça, talvez nunca nos sentimos tão distantes uns dos outros, com tantos contatos e, ao mesmo tempo, com tanta escassez de relações reais e profundas.

Nunca na História tivemos a oportunidade de comunicar com tanta velocidade e receber tamanha quantidade de informações, mas, por outro lado, talvez jamais nos entendemos tão pouco. Quantos desencontros humanos comprometem a vida de tantos inocentes que, quando conseguem sobreviver, são obrigados a deixar suas raízes, suas culturas, seu ethos, para sair pelo mundo em busca de refúgio, de proteção. Somos surpreendidos pela facilidade de tantas palavras e mensagens instantâneas, porém tentados a ser submergidos pela onda da superficialidade.

Nesse sentido, o Evangelho de Jesus nos provoca e retira-nos da inércia. A Igreja, fiel transmissora daquele amor desconcertante, comunicado por seu fundador, com seu olhar materno e dócil, convida-nos a mergulhar na profundidade do Mistério da presença de Deus neste mundo. A espiritualidade cristã é encarnada. Todas as realidades, por mais estranhas que pareçam ser, afetam os seguidores de Jesus e convida-os a responder positivamente a tal chamado e anunciar a presença do Reino de Deus, já neste mundo. Para isso, não nos faltam exemplos de pessoas que se doaram para que a Palavra de vida, o cuidado e a proteção se tornassem palpáveis, por meio de seus exemplos e sua *parresia*.

Desse modo, podemos contemplar a vida de um homem que viveu também em um momento tempestuoso da história. Talvez, com desafios bem diferentes dos nossos, mas não menos complexos. José de Anchieta era um jovem de 19 anos, quando veio ao Brasil; era apenas recém-chegado à nova Ordem Religiosa, chamada Companhia de Jesus, que com seu inovador carisma missionário fazia arder o coração de tantos jovens, que desejavam entregar a vida a Jesus para anunciá-lo em terras onde seu nome ainda não era conhecido. Anchieta vivia no coração do século XVI, momento em que começaram a chegar à Europa tantas informações sobre a existência de outros mundos, de outras culturas, de outras raças. Século que traçou novos caminhos para a Humanidade com suas grandes mudanças, em que o tempo e o espaço também foram desafiados. É José o incansável missionário, que tornou-se o Apóstolo do Brasil, quem nos guiará nestas páginas e nos convidará a mergulhar, ainda mais, no verdadeiro significado do seguimento de Jesus, com seu ardor e sua simplicidade evangélicas.

Os primeiros anos de um apóstolo

Próxima a um vulcão, na Ilha Canária de Tenerife, a ternura de Deus tece, por meio dos afetos de Mência Dias e Juan López, o menino José, que nasce em 19 de março de 1534, na cidade de São Cristobal de la Laguna. O menino, nascido no ventre da ilha, brinca de ser super-herói nas areias da praia, chora para sua mãe as dores das feridas infantis. Prova a comida quentinha de Dona Mência, descansa no abraço de seu pai López. Durante sua infância, recebe de seus pais uma educação profundamente cristã. Também foram eles quem o instruíram em suas primeiras letras.

O menino José de Anchieta olha para o céu, o mar, as estrelas, os animais, a capela, o sol, a lua. Começa a conhecer as letras e, já aos catorze anos, é enviado ao Colégio de Artes em Coimbra para estudar, e já se sente gente grande. E em tudo isso, José se encanta com Deus...

Paixão de garoto

Em Coimbra, o jovem conhece de perto a vida agitada de uma cidade europeia, com sua beleza e dificuldades, oportunidades e riscos. Ainda adolescente, consagra-se inteiramente aos cuidados da Virgem Maria. Na Igreja dos jesuítas, José de Anchieta serve como coroinha em todas as Missas que pode, chegando a frequentar até oito missas diárias.

A fama da nova Ordem religiosa, chamada Companhia de Jesus, fundada por Santo Inácio de Loyola, espalha-se rapidamente por toda a Europa por meio do testemunho de seus primeiros missionários, como Francisco Xavier e tantos outros, que partem com o alforje repleto de sementes do Evangelho para semeá-las nos novos mundos. Desse modo, a Companhia de Jesus faz arder o coração do jovem José e esse não atrasa sua resposta. Aos 17 anos, Anchieta abraça, com todo o entusiasmo, aquele novo carisma, que despontava na Igreja e no mundo. O jovem José torna-se jesuíta.

Enfermidade ou oportunidade de evangelizar?

José anda triste e com fortes dores pelos corredores do Noviciado. Uma espécie de tuberculose óssea toma seu corpo. O Pe. Simão Rodrigues, provincial de Portugal, percebendo a tristeza do jovem noviço, pergunta-lhe: "Como estás, meu querido José?" "Muito mal, querido padre!", responde o noviço. O padre Rodrigues observa a tamanha tristeza no olhar do noviço e lhe faz outra pergunta: "Se o Senhor o quiser deste modo, você vai aceitar viver desta maneira com alegria?" Essas palavras consolam o coração do jovem jesuíta.

Desse modo, inspirado pelas cartas dos missionários Francisco Xavier e Manuel da Nóbrega, parte para o Brasil, com 19 anos, na terceira leva de jesuítas destinados ao Brasil, o jovem José de Anchieta.

No dia 13 de julho de 1553, após dois meses de viagem, chega a Salvador aquele jovem enfermo, que se tornará o Apóstolo do Brasil. Daqui para a frente, sua vida é devotada totalmente ao serviço dos nativos, chamados indígenas. Aprende velozmente sua língua, o Tupi. Escreve uma gramática para que outros também possam aprendê-la. Assim, Anchieta não mede esforços para que sua vida na Terra de Santa Cruz seja, a cada instante, vivida para a maior glória de Deus.

Poeta da Virgem Maria

Ao longo dos 44 anos de Anchieta no Brasil, não faltaram dificuldades na vida do missionário. Em Iperoig, atual cidade de Ubatuba, SP, já com 29 anos, o missionário se oferece como refém em nome de um tratado de paz. Naquele local, Anchieta experimenta um dos momentos mais difíceis de sua vida. Recebe frequentes ameaças de morte, tentações contra a castidade e sente imensa solidão. Por meio de sua alma artística, promete compor um poema com quase seis mil versos para narrar a história da Virgem Maria.

Anchieta amava a arte. Com sua sensibilidade e gosto, também pelo teatro, o Apóstolo compôs inúmeras peças destinadas à evangelização, que passaram a ser apresentadas em diversos lugares. Escreveu cartas que, posteriormente, se tornaram relevantes para a História do Brasil. Por todos esses portentos, Anchieta, além de ser considerado o pai do teatro e da literatura brasileira, é ainda estimado como o primeiro promotor da cultura no Brasil. Foi professor, poeta, teatrólogo, gramático, botânico, fundador de cidades e muito mais, porque sempre conservou a oração constante, a devoção, a caridade, a mansidão, a obediência, a humildade, a pobreza, a ordem, a disciplina, a castidade, a paciência e, principalmente, a confiança em Deus.

Fidelidade até os últimos dias

Os últimos momentos da vida de Anchieta foram vividos na aldeia de Reritiba. Com a enfermidade bastante avançada, não permitia que esta o impedisse de servir. Em suas últimas horas, ainda se levantou de seu leito para preparar um remédio a um companheiro que estava enfermo. E, quando dava seus lentos passos para servir seu irmão, sofreu um ataque, que pôs fim a sua vida. Estava com 63 anos. Era o dia 9 de junho de 1597.

Ao receber essa triste notícia, aqueles a quem o Pe. Anchieta havia, por toda a sua vida, servido, protegido e defendido, aclamavam: "Morreu nosso pai. O que nos amava como filhos. O que deu a vida por nós!"

O corpo de Anchieta foi levado até Vitória, onde foi sepultado. Durante a Missa de corpo presente, foi aclamado pelo Bispo Dom Bartolomeu, "Apóstolo do Brasil". No dia 22 de junho de 1980, o papa João Paulo II o declarou Bem-Aventurado. Em 3 de abril de 2014, após mais de quatro séculos de espera, Francisco, o primeiro Papa jesuíta da História, canonizou o jovem canário, que veio ao Brasil aos 19 anos e plantou o nome de Cristo no coração de nossa nação.

Milagres de ontem e de hoje

Deus favoreceu José de Anchieta com inúmeros dons e, por meio de sua oração, muitos alcançaram milagres.

São inumeráveis os testemunhos de pessoas que presenciaram fenômenos de levitação, luzes e músicas celestiais, enquanto Anchieta orava e celebrava a Missa. Os índios até o apelidaram de "caraibebé", que em tupi significa "homem de asas", por conseguir andar quilômetros em segundos. Outro notável prodígio era a obediência que os animais selvagens lhe tinham. Os índios se maravilhavam tanto com tais portentos, que o chamavam também de "pagé guaçu", que significa o pagé maior, o mais poderoso.

As curas milagrosas de doentes eram constantes em sua vida, como, por exemplo, o acontecido em 1588 no distrito de Carapina, ES, a cura do menino Estevão Machado, mudo de nascença. E, em 1591, no atual Santuário Nacional de São José de Anchieta, na cidade de Anchieta, ES, aconteceu a cura do índio Suaçú, que tinha uma deficiência motora e passou a caminhar normalmente depois do clamor infalível de Anchieta aos Céus.

Durante mais de quatro séculos, desde a morte de Anchieta, inúmeras pessoas acorrem a esse Santuário para pedir e agradecer as graças alcançadas. Hoje, ao lado de Deus e de sua tão amada Virgem Maria, São José de Anchieta continua a pedir por todos os que o invocam com fé, especialmente por seus filhos brasileiros, que ele tanto amou.

Uma luz para nosso tempo

Deixar-se apaixonar pela vida é um dos maiores desafios nos dias de hoje. A paixão nos desinstala e nos move em direção à pessoa, ao ideal, ao mistério, onde nosso coração deseja ancorar-se. José de Anchieta foi um apaixonado, que como vimos, não obstante tantas dificuldades, feridas físicas e espirituais, não se deixou abater e se manteve com os pés cansados, mas firmes no chão.

Ainda jovem, cruzou mares e desafiou os limites desenhados pelos mapas, para estar mais próximo dos necessitados. Ele tinha um ideal. Sabia qual era o sentido de sua vida. Por isso não temeu as mais terríveis consequências de sua eleição pelo Rei Eterno. Não enxergava as novidades de sua época como possibilidades para usá-las com fins egoístas, mas como possibilidades para se aproximar do outro, abraçando sua cultura, aprendendo sua língua, entendendo sua mentalidade, para que o Evangelho fosse anunciado com mais eficácia. Anchieta foi irmão, protetor e defensor dos índios.

E nós? A quem somos chamados a proteger hoje? Diante de tantos desencontros humanos, guerras e fundamentalismos religiosos, quem são aqueles que precisam de nosso apoio, de nosso abraço, de nosso reconhecimento?

São José de Anchieta respondeu com um sim, não só definitivo, mas criativo ao chamado de Deus. Colocou todos os seus talentos, tudo o que estudou e recebeu a serviço do Reino. E, hoje, com tantas possibilidades e tantos meios que podem ser utilizados para fazer tanto bem, para ser, para amar, qual é nossa resposta?

UM DOS MAIS LONGOS PROCESSOS DE CANONIZAÇÃO DA HISTÓRIA DA IGREJA

Muitos devotos do Apóstolo do Brasil perguntam: por que o processo de canonização de São José de Anchieta demorou tanto, se o odor de sua santidade, ainda em vida, espalhou-se por todo o mundo? Expomos aqui, de modo resumido, os principais fatos que ocorreram durante esse longuíssimo e difícil processo. Como veremos, as dificuldades não faltaram. Multidões de pessoas trabalharam arduamente, durante mais de quatro séculos, para que se chegasse a seu desfecho em 2014.

Em 9 de junho de 1597, em Reritiba, faleceu, aos 63 anos de idade, com fama de santidade e milagres, o padre José de Anchieta, defensor da liberdade dos índios, herói, professor, poeta, gramático, historiador, farmacêutico e médico, naturalista, botânico, fundador de cidades, colégios e hospitais. Seu corpo deixou Reritiba, e os índios o carregaram até Vitória, onde foi sepultado na Casa da Companhia de Jesus.

Em 1598, apenas um ano após sua morte, a pedido do padre Provincial do Brasil, o Pe. Quirício Caxa escreveu a primeira biografia do padre Anchieta, recolhendo testemunhos autênticos e oculares dos milagres realizados pelo padre Anchieta. Seis anos depois, foi o próprio provincial, Pe. Pero Rodrigues, quem escreveu a segunda biografia, recolhendo ainda mais testemunhos de milagres do padre santo.

Em 1609, devido à grande fama de santidade espalhada já pela Europa, por ordem do Superior Geral dos jesuítas em Roma, sua tumba em Vitória foi aberta e a maior parte das relíquias foi levada para o Colégio dos Jesuítas, na Bahia, e para outras casas da Companhia do Brasil; uma parte considerável foi enviada para a veneração, em Roma.

Em 8 de março de 1618, a Congregação provincial dos jesuítas, reunida na Bahia, deu o primeiro passo no processo de beatificação, pedindo ao Pe. Geral que providenciasse o início da causa, e assim foi feito. Desse modo, iniciava-se um dos processos mais longos da história, com a análise minuciosa da vida do padre Anchieta, de seus escritos e seus milagres.

De 1619 a 1622, foram ouvidas testemunhas em Pernambuco, Bahia, Rio de Janeiro e São Paulo.

Em 1622, a biografia da vida de Anchieta começou a inspirar jovens de todo o mundo, entre esses, o jovem jesuíta João Berchmans, que incluía já o nome de Anchieta na ladainha dos santos de sua devoção. João Berchmans morreu jovem e foi canonizado.

O grande literato Padre Antonio Vieira, com apenas 18 anos, em 1626, escrevia a Roma, dizendo que todo o Brasil desejava ardentemente a canonização do padre José de Anchieta.

Em 1634, o papa Urbano VIII decretou que os processos de beatificação só poderiam ser analisados 50 anos após a morte do servo de Deus. Assim, o processo ficou paralisado.

Em 1649, o processo foi retomado.

Em 1652, 55 anos após sua morte, por decreto do papa Inocêncio X, o padre Anchieta recebeu o título de SERVO DE DEUS.

DE 1668 a 1702, por falta de recursos, com a grande crise financeira do Brasil e Portugal, o processo ficou novamente paralisado.

Em 1702, o processo foi retomado e continuaram as análises minuciosas e o recolhimento de novos depoimentos.

Para a glória de Deus, em 1736, a vida heroica de Anchieta foi reconhecida oficialmente pela Igreja, por meio do decreto do papa Clemente XII. Desse modo, o padre Anchieta recebeu o título de VENERÁVEL, aproximando-se assim da tão esperada beatificação.

Mas, a partir de 1750, as investidas do Marques de Pombal contra os jesuítas começaram, até que, nove anos depois, todos os jesuítas foram expulsos do Brasil, tiveram seus bens confiscados e documentos queimados. Em 1773, por pressão política, a Ordem dos Jesuítas foi supressa em todo o mundo. Desse modo, o processo de Anchieta ficou paralisado e seus manuscritos desapareceram. Só em 1814 a Ordem Jesuíta foi restaurada pelo papa Pio VII.

Em 1877, Dom Vital de Oliveira, Bispo de Olinda, em um momento em que a Igreja foi perseguida pela maçonaria no Brasil, escreveu uma dolorosa carta ao papa Pio IX, suplicando que este beatificasse Anchieta e o declaresse PATRONO CELESTE DO BRASIL. Também a princesa Isabel fez a mesma solicitação ao Papa, intitulando Anchieta de MISSIONÁRIO DA CARIDADE HEROICA E DE MILAGRES.

Somente em 1883, o processo de beatificação foi oficialmente reaberto.

Em maio de 1897, os bispos do Brasil, em carta, pediram ao papa Leão XIII que promovesse a beatificação do NOVO ADÃO, pois sua fama de santidade continuava viva no Brasil. E na mesma carta os bispos intitularam Anchieta como PADROEIRO DA NAÇÃO BRASILEIRA.

Em 1899, os bispos de toda a América Latina suplicaram ao Papa a beatificação de Anchieta.

O processo continuou por ainda longos anos. Em 1922, com o quarto centenário do descobrimento do Brasil, a devoção de Anchieta se reacendeu.

Em 1963, o presidente João Goulart enviou carta ao Papa, suplicando a beatificação.

Em 1980, o papa João Paulo II, após ouvir clamores e as análises de quase quatro séculos, deixou a reunião plenária, que tratava da beatificação, para rezar e tomou a decisão de beatificar o Apóstolo do Brasil.

Em 22 de junho do mesmo ano, na presença do padre Geral Pedro Arrupe e de tantas personalidades, o papa João Paulo II beatificou Anchieta, em Roma.

Em 3 de abril de 2014, 416 anos após a morte do Apóstolo do Brasil, o papa Francisco, primeiro Pontífice jesuíta da História, assinou, no Vaticano, a canonização do padre José de Anchieta e o tornou oficialmente o terceiro santo brasileiro.

Em 2015, Anchieta foi confirmado pela CNBB Padroeiro do Brasil e também Padroeiro de todos os catequistas.

Com o Pe. Murillo Moutinho, um dos principais estudiosos e promotores de Anchieta, podemos afirmar que, além de sua santidade, o maior milagre de Anchieta é o fato de que a fama de suas virtudes heroicas ultrapassou quatro séculos e o amor pelo Apóstolo do Brasil continua vivo no povo brasileiro. Multidões desejaram ver o que nós podemos ver e não viram, desejaram ouvir o que nós ouvimos e não ouviram. Em nome deles, pronunciemos com todo o amor e carinho: "São José de Anchieta, rogai por nós!"

DATAS SIGNIFICATIVAS DE SÃO JOSÉ DE ANCHIETA

19/03/1534 – Nascimento de São José de Anchieta (San Cristobal de la Laguna – Tenerife/Espanha).
01/05/1551 (17 anos) – Entrada na Companhia de Jesus em Coimbra/Portugal.
13/07/1553 (19 anos) – Chegada de Anchieta ao Brasil.
25/01/1554 (19 anos) – Fundação de São Paulo.
1563 (29 anos) – Refém dos Tamoios em Iperoig (Ubatuba, SP).
06/06/1566 (32 anos) – Ordenação sacerdotal na Catedral de Salvador, BA.
09/06/1597(63 anos) – Morte de São José de Anchieta em Reritiba (Anchieta, ES).
1598 – Escrita a primeira biografia de Anchieta pelo padre Quirício Caxa.
1607 – Escrita a segunda biografia de Anchieta pelo padre Pero Rodrigues.
1618 – Início do processo de beatificação.
1650 – Declarado servo de Deus, pelo papa Inocêncio X.
1736 – Recebe o título de venerável, pelo papa Clemente XII.
22/06/1980 – Beatificação, pelo papa João Paulo II.
03/04/2014 – Canonização, pelo papa Francisco.
2014 – Declarado Padroeiro dos catequistas.
2015 – Declarado Padroeiro do Brasil.

TÍTULOS DE SÃO JOSÉ DE ANCHIETA

Apóstolo do Brasil
Padroeiro do Brasil
Padroeiro dos catequistas
Patrono dos professores
Patrono dos farmacêuticos
Patrono da cadeira de número um da Academia Brasileira de Música
Pai da cultura e do teatro brasileiro
Pioneiro da poesia brasileira
Herói da Pátria
Fundador da Literatura Brasileira
Primeiro Educador do Brasil
Primeiro antropólogo e naturalista do Brasil
Primeiro ecologista do Brasil
Defensor dos Direitos Humanos
Iniciador das estradas do Brasil

NOVENA DE
SÃO JOSÉ DE ANCHIETA
APÓSTOLO E PADROEIRO DO BRASIL

1º DIA

ANCHIETA,
CHEIO DE HUMILDADE E MANSIDÃO

Em nome do Pai e do Filho e do Espírito Santo. Amém.

Graça a pedir
Senhor, dai-me a graça da humildade e mansidão.

Palavra do Senhor *(Cl 3,12)*
Da Carta de São Paulo aos Colossenses
Irmãos, como eleitos de Cristo, santos e amados, revesti-vos de sentimentos de compaixão, de bondade, de humildade, de mansidão, de longanimidade, suportando-vos uns aos outros, e perdoando-vos mutuamente, se alguém tem motivo de queixa contra o outro; como o Senhor vos perdoou, assim fazei vós também.

Palavra de Anchieta
Da Carta de São José de Anchieta ao Geral da Companhia de Jesus, Pe. Cláudio Acquaviva.
Trabalhamos o possível pela defesa dos índios, para que, com isso, se salvem os predestinados. Supor-

tamos tudo isso por amor aos eleitos. Eu, embora velho e maldisposto, desenganado estou que não terei descanso nesta peregrinação; resolvido estou de me dar todo aos superiores, que façam de mim o que quiserem para serviço de Deus e dos nossos. Não me falte sua graça.

Breve momento de meditação

Oração a São José de Anchieta *(p. 47)*

2º DIA

ANCHIETA,
HOMEM MISERICORDIOSO

Em nome do Pai e do Filho e do Espírito Santo. Amém.

Graça a pedir
Senhor, dai-me um coração cheio de misericórdia para com os meus irmãos e minhas irmãs.

Palavra do Senhor *(Pd 3,8-11)*
Da Primeira Carta de São Pedro
Irmãos, tende todos um só coração e uma só alma, sentimentos de amor fraterno, de misericórdia, de humildade. Não pagueis mal com mal, nem injúria com injúria. Ao contrário, abençoai, pois para isto fostes chamados, para que sejais herdeiros da bênção. Com efeito, quem quiser amar a vida e ver dias felizes, refreie sua língua do mal e seus lábios de palavras enganadoras; aparte-se do mal e faça o bem, busque a paz e siga-a.

Palavra sobre Anchieta
Dos testemunhos recolhidos pelo Pe. Pero Rodrigues, SJ
O Pe. José de Anchieta, quando era superior pro-

vincial, perguntou a um padre, que era ministro em um colégio, a razão pela qual tinha agido de modo tão ríspido com um súdito. O ministro respondeu: "Quem me deu o ofício de ministro me instruiu que não deixasse passar nenhuma ocasião na qual pudesse exercitar os súditos em paciência". Desse modo, o Pe. José de Anchieta lhe exortou: "Em nome de Deus, eu vos dispo deste hábito de rigor e vos visto com os trajes da mansidão. Desse modo, nunca deis ocasião a nenhum súdito de impaciência, senão de todo amor e afabilidade".

Breve momento de meditação

Oração a São José de Anchieta *(p. 47)*

3º DIA

ANCHIETA,
PACIENTE NAS TRIBULAÇÕES

Em nome do Pai e do Filho e do Espírito Santo. Amém.

Graça a pedir
Senhor, que eu seja forte e paciente nas tribulações.

Palavra do Senhor *(2Cor 1,3-5)*
Da Segunda Carta de São Paulo aos Coríntios
Bendito seja Deus, o Pai de nosso Senhor Jesus Cristo, o Pai das misericórdias, Deus de toda a consolação, que nos conforta em todas as nossas tribulações, para que, pela consolação com que nós mesmos somos consolados por Deus, possamos consolar os que estão em qualquer angústia! Com efeito, à medida que em nós crescem os sofrimentos de Cristo, crescem também por Cristo nossas consolações.

Palavra sobre Anchieta
Dos testemunhos recolhidos pelo Pe. Quirício Caxa, SJ
O Pe. José de Anchieta, quando esteve refém dos índios tamoios, em Iperoig, para se livrar dos grandes

perigos e propícias ocasiões de pecado, usava de muita oração e comunicação com Deus. Encomendava-se sempre à Virgem Maria, de quem era e foi sempre devotíssimo, em especial de sua puríssima conceição. Muitas vezes, vieram os tamoios de outras partes para o matar, mas sempre Deus o livrou.

Breve momento de meditação

Oração a São José de Anchieta *(p. 47)*

4º DIA

ANCHIETA,
APAIXONADO POR CRISTO

Em nome do Pai e do Filho e do Espírito Santo. Amém.

Graça a pedir
Senhor, que eu seja verdadeiramente apaixonado por ti.

Palavra do Senhor *(Fil 3,7-9.12)*
Da Carta de São Paulo aos Filipenses
Na verdade, julgo como perda todas as coisas, em comparação com esse bem supremo: o conhecimento de Jesus Cristo, meu Senhor. Por ele tudo desprezei e tenho em conta de esterco, a fim de ganhar Cristo e estar com ele. Não pretendo dizer que já alcancei (esta meta) e que cheguei à perfeição. Não. Mas eu me empenho em conquistá-la, uma vez que também eu fui conquistado por Jesus Cristo.

Palavra de Anchieta
Dos poemas eucarísticos de São José de Anchieta
Minh'alma seca busque essa fonte divina,

torne-se a nosso mal segura medicina!
Que eu conheça quem és! Sê meu único amante!
Inteiro eu ame a ti, de coração constante!

Se não conheço a ti, já não posso viver:
pois vida eterna, ó Deus, é só te conhecer!
E se não amo a ti, já não posso durar:
pois vida eterna. Ó Deus, é só a ti amar!

Amo-te, porque tu não excluis o mendigo,
ó Hóspede, ó prazer do coração amigo!

Breve momento de meditação

Oração a São José de Anchieta *(p. 47)*

5° DIA

ANCHIETA,
HOMEM DE MILAGRES

Em nome do Pai e do Filho e do Espírito Santo. Amém.

Graça a pedir
Senhor, que eu saiba reconhecer os milagres em meu dia a dia.

Palavra do Senhor *(Mc 16,17-18)*
Do Evangelho de Jesus Cristo segundo Marcos
Naquele tempo disse-lhes Jesus: "Estes milagres acompanharão os que crerem: expulsarão os demônios em meu nome, falarão novas línguas, manusearão serpentes e, se beberem algum veneno mortal, não lhes fará mal; imporão as mãos aos enfermos e eles ficarão curados.

Palavra sobre Anchieta
Dos testemunhos recolhidos pelo Pe. Pero Rodrigues, SJ
Sucedeu que se fez uma grande festa na aldeia de São João, na Capitania do Espírito Santo, da qual participou muita gente da vila e também o Pe. José

de Anchieta, com outros padres. Havia um menino de quatro ou cinco anos, mudo, que nunca falara, de nome Estevão. Entre danças e outros jogos, houve também a brincadeira do pato ensaboado e dois homens o agarraram, ao mesmo tempo.

Fizeram juiz do caso o Pe. José de Anchieta, o qual, olhando para Estevão, mandou-lhe que dissesse quem ganhara o pato. O menino, recuperando instantaneamente a fala, respondeu desembaraçadamente, dizendo: "É meu, me deem, para o levar a minha mãe". Todo o povo que estava presente deu muitos louvores a Deus por tão grande maravilha.

Breve momento de meditação

Oração a São José de Anchieta *(p. 47)*

6°DIA

ANCHIETA,
PROTETOR DOS INDEFESOS

Em nome do Pai e do Filho e do Espírito Santo. Amém.

Graça a pedir
Senhor, que eu defenda e proteja os sofredores e oprimidos.

Palavra do Senhor *(Lc 4,18-19)*
Do Evangelho de Jesus Cristo segundo Lucas
O Espírito do Senhor está sobre mim, porque me ungiu; e enviou-me para anunciar a boa-nova aos pobres, para sarar os contritos de coração, para anunciar aos cativos a redenção, aos cegos a restauração da vista, para pôr em liberdade os cativos, para publicar o ano da graça do Senhor.

Palavra sobre Anchieta
Dos testemunhos recolhidos pelo Pe. Pero Rodrigues, SJ
O Pe. José de Anchieta buscava muito a liberdade dos índios, e não tolerava quando alguns se aproximavam de suas terras para roubá-los e cativá-los,

por força ou engano ou muitas injustiças, com o pretexto de ir resgatar.
Quando se achava entre os índios, cuidava deles em suas doenças, visto que molestas e nojentas. Nunca se negava para os servir no espiritual e temporal, ainda que houvesse de passar fome, frio e maus caminhos, e todas as mais incomodidades que a terra e o tempo ocasionavam.

Breve momento de meditação

Oração a São José de Anchieta *(p. 47)*

7°DIA

ANCHIETA,
PERSEVERANTE NA ORAÇÃO

Em nome do Pai e do Filho e do Espírito Santo. Amém.

Graça a pedir
Senhor, que eu cresça na intimidade contigo por meio da oração.

Palavra do Senhor *(Rm 12,9-16)*
Da Carta de São Paulo aos Romanos
Que vossa caridade não seja fingida. Aborrecei o mal, apegai-vos solidamente ao bem. Amai-vos mutuamente com afeição terna e fraternal. Adiantai-vos em honrar uns aos outros. Não relaxeis vosso zelo. Sede fervorosos de espírito. Servi ao Senhor. Sede alegres na esperança, pacientes na tribulação e perseverantes na oração. Socorrei às necessidades dos fiéis. Esmerai-vos na prática da hospitalidade. Abençoai os que vos perseguem; abençoai-os, e não os praguejeis. Alegrai-vos com os que se alegram; chorai com os que choram. Vivei em boa harmonia uns com os outros.

Palavra sobre Anchieta
Dos testemunhos recolhidos pelo Pe. Pero Rodrigues, SJ
Era o Padre José de Anchieta homem de muita oração, muito exercitado e contínuo nela, dormia muito pouco e quase toda a noite gastava com Deus, ora passeando pelos corredores sem sapatos, ora de joelhos a um canto, ora na Igreja. E às duas horas, depois de meia-noite, ia encostar-se sobre seu leito pobre, vestido, nunca usava lençóis. Muitas vezes foi visto, enquanto dormia, pronunciar o nome de Deus muito afetuosamente. Foi visto por numerosas testemunhas, levantado do chão, estando dizendo missa ou uma oração na Igreja. Tal foi o Padre José em todo o tempo de sua vida no espírito da oração, que não há que se espantar das maravilhas que dele se contam, nem da grande santidade a que chegou, pois nesta escola do Espírito Santo continuou com muita diligência, por espaço de quarenta e quatro anos que viveu no Brasil.

Breve momento de meditação

Oração a São José de Anchieta *(p. 47)*

8° DIA

ANCHIETA,
POETA DA VIRGEM MARIA

Em nome do Pai e do Filho e do Espírito Santo. Amém.

Graça a pedir
Senhor, que eu seja um verdadeiro devoto da Virgem Maria.

Palavra do Senhor *(Lc 1,26-35.38)*
No sexto mês, o anjo Gabriel foi enviado por Deus a uma cidade da Galileia, chamada Nazaré, a uma virgem desposada com um homem que se chamava José, da casa de Davi e o nome da virgem era Maria. Entrando, o anjo disse-lhe: "Ave, cheia de graça, o Senhor é contigo". Perturbou-se ela com estas palavras e pôs-se a pensar no que significaria semelhante saudação. O anjo disse-lhe: "Não temas, Maria, pois encontraste graça diante de Deus. Eis que conceberás e darás à luz um filho, e lhe porás o nome de Jesus. Ele será grande e chamar-se-á Filho do Altíssimo, e o Senhor Deus lhe dará o trono de seu pai Davi; e reinará eternamente na casa de Jacó, e seu

reino não terá fim". Maria perguntou ao anjo: "Como se fará isso, pois não conheço homem?" Respondeu-lhe o anjo: "O Espírito Santo descerá sobre ti, e a força do Altíssimo te envolverá com sua sombra. Por isso o ente santo que nascer de ti será chamado Filho de Deus". Então disse Maria: "Eis aqui a serva do Senhor. Faça-se em mim segundo a tua palavra". E o anjo afastou-se dela.

Palavra de Anchieta
Do Poema à Virgem de São José de Anchieta
Disse Deus, voa o anjo em adejo fulgente,
como vésper em fogo emerge no ocidente.
Extasiado ao fulgor que na mente te lavra,
curvando-se a teus pés, te lança esta palavra:

Ó mulher, a teu Pai, mais que todas, benquista:
salve, primeiro amor de teu eterno artista!
Desse teu coração ele sempre foi dono,
em teu peito ele só constituiu seu trono.

Breve momento de meditação

Oração a São José de Anchieta *(p. 47)*

9º DIA

ANCHIETA,
APÓSTOLO DO BRASIL

Em nome do Pai e do Filho e do Espírito Santo. Amém.

Graça a pedir
Senhor, que a exemplo de São José de Anchieta eu seja um apóstolo fiel no serviço de teu Reino de Amor.

Palavra do Senhor *(Mc 12,15-16.20)*
Do Evangelho de Jesus Cristo segundo Marcos
Naquele tempo disse-lhes Jesus: "Ide por todo o mundo e pregai o Evangelho a toda criatura. Quem crer e for batizado será salvo, mas quem não crer será condenado". Os discípulos partiram e pregaram por toda parte. O Senhor cooperava com eles e confirmava sua palavra com os milagres que a acompanhavam.

Palavra sobre Anchieta
Dos testemunhos recolhidos pelo Pe. Quirício Caxa, SJ
No dia de seu sepultamento, o Administrador Apos-

tólico pregou dizendo muitas coisas de muito louvor, chamando o padre José de Anchieta de Apóstolo do Brasil, e dizendo quão bom pai e protetor haviam perdido todos, tanto os índios como os portugueses. Houve grandíssimo movimento de lágrimas em todos porque era por todos muito amado e reverenciado. Muitos, pela opinião grande que tinham de sua santidade, em vez de o encomendarem a Deus, encomendavam-se a ele, que os favorecesse com Deus, tendo por certo que ele estava diante d'Ele, gozando de sua glória.

Breve momento de meditação

Oração a São José de Anchieta *(p. 47)*

BÊNÇÃOS E ORAÇÕES

ORAÇÃO A SÃO JOSÉ DE ANCHIETA

São José de Anchieta,
Apóstolo do Brasil,
Poeta da Virgem Maria,
intercede por nós hoje e sempre.
Dá-nos a disponibilidade de servir a Jesus
como tu o serviste nos mais pobres e necessitados.
Protege-nos de todos os males
do corpo e da alma.
E, se for vontade de Deus,
Alcança-nos a graça que agora te pedimos
(pede-se a graça).
São José de Anchieta, rogai por nós!

ORAÇÃO DO MANTO DE SÃO JOSÉ DE ANCHIETA
(Para proteção contra assaltos, sequestros e demais violências)

São José de Anchieta, que com o coração abrasado pelo amor ao próximo, buscaste, com afinco, aliviar os males do corpo e do espírito de todos os que Deus colocou em teu caminho, a ti recorremos, também nós, para que nos alivies das aflições deste nosso mundo conturbado.

Teu manto te protegeu do sol, do frio, dos ventos, das tempestades e dos perigos da selva, nas incansáveis andanças por terras do Brasil, em nome do Senhor. Que ele seja para nós, hoje, abrigo e proteção contra os perigos e ameaças que diariamente enfrentamos, especialmente, contra assaltos, sequestros e toda a violência. Tira de nosso coração e de nosso espírito a insegurança, a intranquilidade e o medo, fazendo-nos viver na serenidade e na paz, construindo um mundo solidário e compassivo.

São José de Anchieta, que, em um ato de imensa confiança em Deus, nosso Pai, e de extremada busca da reconciliação e da paz entre os homens, te entregaste, voluntariamente, como refém dos Tamoios, e com tua serenidade e teu olhar bondoso, desarmaste guerreiros enfurecidos, serenaste os ânimos e levaste os inimigos à reconciliação, ensina-nos o segredo dessa presença que desarma, desse amor que reconcilia, dessa confiança que pacifica; não permitas que nos tornemos reféns do medo, do temor e da insegurança.

Finalmente, nós te pedimos, estende teu manto e protege dos perigos desta vida todos aqueles a quem amamos, e ensina de novo, ao povo brasileiro, a quem tanto amaste, os caminhos da reconciliação e da paz.

São José de Anchieta, protege-nos, hoje, dos assaltos, dos sequestros e de toda violência.

Amém.

BÊNÇÃO DA ÁGUA DE SÃO JOSÉ DE ANCHIETA

Ó Deus, que pela água operastes os maiores mistérios da salvação dos homens, atendei, misericordioso, as nossas preces e derramai sobre esta "água de São José de Anchieta" a força da vossa bênção. Seja ela para nós instrumento de vossas graças e nos alcance perfeita saúde de alma e corpo, a fim de que, a exemplo e por intercessão de São José de Anchieta, apóstolo e padroeiro do Brasil, possamos em tudo amar e servir a Vossa Divina Majestade. Tudo isso vos pedimos por Cristo, vosso Filho, Nosso Senhor, e que vive e reina na unidade do Espírito Santo.
Amém.

BÊNÇÃO DA ROSA DE SÃO JOSÉ DE ANCHIETA

Abençoai, Senhor, estas rosas que, em sua beleza, pureza e perfume, nos lembram as virtudes de São José de Anchieta. Pelo exemplo e intercessão desse Apóstolo, fazei que aqueles que as receberem procurem imitá-lo na pureza de intenções, no desprendimento dos interesses materiais e na incansável dedicação ao trabalho missionário. Nós vos pedimos por vosso Filho, Jesus Cristo e Senhor nosso.
Amém.

LADAINHA DE SÃO JOSÉ DE ANCHIETA

Senhor, tende piedade de nós
Santíssimo Cristo, tende piedade de nós
Senhor, tende piedade de nós
Jesus Cristo, ouvi-nos
Jesus Cristo, atendei-nos
Santa Maria Mãe de Deus,
Rogai por nós!
Mãe Aparecida, Padroeira do Brasil,
Rogai por nós!
São José, esposo da Virgem Maria,
Rogai por nós!
Santo Inácio de Loyola, fundador dos jesuítas,
Rogai por nós!
São José de Anchieta,
Rogai por nós!
Anchieta, companheiro de Jesus,
Rogai por nós!
Anchieta, adorador do Santíssimo Sacramento,
Rogai por nós!
Anchieta, sacerdote de Cristo,
Rogai por nós!
Anchieta, missionário incansável,
Rogai por nós!
Anchieta, paciente nas tribulações,

Rogai por nós!
Anchieta, imitador da castidade de Jesus,
Rogai por nós!
Anchieta, seguidor da pobreza de Jesus,
Rogai por nós!
Anchieta, servidor na obediência de Cristo,
Rogai por nós!
Anchieta, filho devoto e poeta da Virgem Maria,
Rogai por nós!
Anchieta, amigo e defensor dos povos indígenas,
Rogai por nós!
Anchieta, protetor do meio ambiente,
Rogai por nós!
Anchieta, defensor dos direitos humanos,
Rogai por nós!
Anchieta, companheiro dos que sofrem violência,
Rogai por nós!
Anchieta, amigo dos sofredores,
Rogai por nós!
Anchieta, fundador de hospitais,
Rogai por nós!
Anchieta, fundador de cidades,
Rogai por nós!
Anchieta, pai do teatro e da cultura brasileira,
Rogai por nós!
Anchieta, pacificador das discórdias,
Rogai por nós!
Anchieta, professor do Brasil,
Rogai por nós!

Anchieta, padroeiro dos catequistas,
Rogai por nós!
Anchieta, apóstolo do Brasil,
Rogai por nós!
Anchieta, Padroeiro do Brasil,
Rogai por nós!
Cordeiro de Deus, que tirais o pecado do mundo,
Perdoai-nos, Senhor!
Cordeiro de Deus, que tirais o pecado do mundo,
Ouvi-nos Senhor!
Cordeiro de Deus, que tirais o pecado do mundo,
Tende piedade de nós!

Oremos: Ó Deus, vosso servidor, São José de Anchieta, brilhou no mundo por sua corajosa fidelidade a vossa vontade. Dai-nos, por intercessor tão amigo, seguir o exemplo de seus passos, até o final desta peregrinação rumo à Pátria celeste. Por Cristo Nosso Senhor. Amém.

ORAÇÃO DE SANTO INÁCIO DE LOYOLA

Fundador da Companhia de Jesus

Tomai, Senhor, e recebei toda a minha liberdade e a minha memória também.
O meu entendimento e toda a minha vontade, tudo o que tenho e possuo vós me destes com amor.
Todos os dons que me destes com gratidão vos devolvo.
Disponde deles, Senhor, segundo a vossa vontade.
Dai-me somente o vosso amor, a vossa graça.
Isto me basta, nada mais quero pedir.

MEDITANDO OS MISTÉRIOS DO ROSÁRIO COM SÃO JOSÉ DE ANCHIETA

MISTÉRIOS GOZOSOS
(Meditam-se às segundas-feiras e aos sábados)

1º mistério
Anunciação do anjo à Virgem Maria
Contemplamos a saudação do anjo Gabriel à jovem virgem de Nazaré e o grande Mistério da encarnação do Senhor. Com o sim pronunciado pela escolhida de Deus, o Verbo Divino se fez humano.

(Do Poema à Virgem, v. 1231-1244; 1315-1320)
Estando Deus para mandar do céu o Filho unigênito
para que se fizesse homem
nas entranhas da Virgem imaculada,
cravado sobre as terras da Galileia
seus olhos suavíssimos,
volveu-os para os muros da ilustre Nazaré.
Aí está uma habitação,
pequena sim, mas levantada a tanta glória,
que há de competir com o palácio dos céus.
Contente nos poucos palmos do seu lar,
habita nesta casa uma donzela,

que será em breve maior que o firmamento.
Aí ela se esconde humilde e sem nome na terra,
e contudo a amplidão do espaço
ainda não viu claridade maior.
Nesta cidadezinha apenas se conhece
a esposa do carpinteiro...
na cidade esplêndida de Deus, que havia eu de ser?
Eu, pobre mulherzinha,
cumulada de tais dádivas, de tais riquezas?
A mim, tal opulência?
Honrar-me-á o céu com a glória de rainha,
Quando apenas sirvo para escrava?

2º mistério
Visitação de Maria a Santa Isabel
Contemplamos o encontro entre essas duas mulheres grávidas que acreditaram nas promessas do Senhor. No ventre de Maria, o Verbo; no de Isabel, o precursor.

(Do Poema à Virgem, v. 2305-2321)
Com a alegria a apressar-te os passos
entras pela habitação de Zacarias
e tua meiga voz saúda a velha planta em flor.
Ela, escuta e tanto gôzo apenas cabe
no pequenino coração do filho
enquanto teus lábios soltam a torrente da doçura.
João escuta e logo
saltando em júbilos no materno seio,
compõe os tenros membros,

e dobrando os joelhos
adora a seu Senhor que se aproxima
e despe os andrajos do pecado.
Rejubila e frene de gôzo Isabel extasiada
pela face e pela voz da hóspede bondosa.
Não pode reprimir êsse alvorôço
entre as paredes do seio,
que Deus inunda com divino fogo.
Devorada no íntimo pelas chamas celestes,
atira-se de um salto nos teus braços!
A mãe estéril abraça a Virgem Mãe
e os seios abençoados
e os corações se estreitam.

3º mistério
Nascimento do Menino Deus
Contemplamos o menino Jesus, nascido pobre e despojado na gruta de Belém. Assim, Deus escolhe fazer-se frágil e criança.

(Do Poema à Virgem, v. 2515-2523)
Permiti-me, ó Virgem,
recordar os mistérios da sagrada noite,
os puríssimos gáudios do teu espírito,
contemplar com os olhos da alma quanto fazes,
sorver com avidez tudo o que dizes.
Chega a hora do parto:
a noite gélica emudece
e já transpõe os altos píncaros do zenite.

Por toda a parte o sono vai libertando
os membros cansados:
na terra só brilha a lâmpada do teu olhar.
Resolves há muito os sublimes mistérios
e almejas contemplar as belas faces do teu Menino.

4º mistério
Apresentação de Jesus no Templo

Neste mistério contemplamos Maria e José apresentando Jesus no Templo de Jerusalém. Pobres que eram, ofertam apenas dois pombinhos. Simeão, homem de fé, glorifica a Deus por ter visto no menino Jesus a salvação de todos.

(Do Poema à Virgem, v. 3201-3209; 3225-3231)
Ao templo sagrado diriges-te portanto
para, ao Deus de majestade,
oferecer a ti e oferecer teu Filho,
que levas em teus braços delicados
qual prenda leve do céu,
a tornar-te delicioso o áspero caminho.
Acompanha-te e guia-te José
e eterno esposado,
ativo e diligente em obra tão sublime.
Porém que bela oferta deporás
sobre o altar divino?
Pois não te apresentarás ao Senhor de mãos vazias!
Um casal de pombinhos será a oferta de teu Filho?
Estreitando ao peito, com o Filhinho pobre,

pobrezinha mãe, o que há de mais humilde,
vais ao templo com um casal de pombos.
Ó modelo de piedade,
apaixonada amante da pobreza:
até há pouco desprezada,
tu a ergues do pó da terra até a luz do céu.
Riquezas e vãos títulos de glória,
que eu os despreze, ó mãe:
só quero no santuário acompanhar-te a ti
e acompanhar teu Filho.

5º mistério
Perda e encontro de Jesus
Contemplamos a perda dramática do menino Jesus com apenas doze anos durante as festas de Jerusalém. Após três dias de procura, o filho é encontrado no Templo ensinando com sabedoria e deixando as autoridades do Templo maravilhadas.

(Do Poema à Virgem, v. 4201-4206; 4211-4218)
Choras o Filho ausente
e a dor que confrange as fibras mais profundas
esprime de teus olhos, grossos rios.
Oh! Quantas vezes
encheste de comoção o firmamento
e a vastidão retumbou com teus gemidos!
Quantas vezes tua alma se prostrou
perante o Onipotente
do horrendo deicídio

são tempos de paz estes que me deste agora
em que meu Filho se vai fortalecendo
para as futuras pugnas!"
Oh! como te fervilha o coração
neste mar de angústias, Mãe puríssima,
quando não, não há perigo
que não temas para o Filho.
Tu não ignoras seu poder imenso,
que tem na mão a morte e a vida do universo.
Mas que males não temerá o amor de Mãe
que obriga a achar perigo onde o não há!

MISTÉRIOS DOLOROSOS
(Meditam-se às terças-feiras e às sextas-feiras)

1º mistério
Oração e agonia de Jesus no Getsêmani
Contemplamos Jesus, que, em sua agonia, sua sangue e aceita o cálice do Pai permanecendo fiel a sua entrega pela salvação da humanidade.

(Do Poema à Virgem, v. 4398-4405)
Ó minha alma, por que é que te entorpeces
sepultada em tanta sonolência?
Por que resonas
abismada em tão pesado dormir?
Olha a larga ferida do rasgado peito
donde jorra um veio

de água e sangue.
Tudo isto se o não sentes
a Mãe angustiosa
reclama para si estas feridas
feridas de seu Filho!
Pois quantas torturas padeceu o Filho
em seu corpo inocente
tantas sofre a compassiva Mãe
no coração.

2º mistério
Flagelação de Cristo
Contemplamos Nosso Senhor sendo flagelado na presença de Pilatos. Jesus, assim, assume para si todas as nossas dores e enfermidades.

(Do Poema à Virgem, v. 4370-4386)
Não te comovem as angustiosas lágrimas
da Mãe que chora
a morte tormentosa de seu Filho?
Suas estranhas se liquefazem de dor
ao contemplar-lhe
as feridas de que está coberto
ó sim, minha alma!
Por onde quer que olhares, tudo encontrarás
tingido pelo sangue de Jesus.
Vê, como jaz prostrado ante seu Pai,
 como o suor de sangue lhe banha todo o corpo.
Vê como o prende qual ladrão,

a horda selvagem!
como o calca aos pés
e lhe atira o laço às mãos e ao pescoço.
Vê como ante Anás,
cruel soldado com a pesada mão
ousa imprimir sangrenta bofetada
no rosto divinal!
Não reparas como diante do soberbo Caifás
ele sofre humilde
mil impropérios, escarros e punhadas?
Quando o ferem
não retira a face, deixa que lhe arranquem
a cabeleira e a veneranda barba.
Olha como o carrasco, com azorrague fero,
retalha os doces membros do teu Deus!

3º mistério
A coroação de espinhos

Contemplamos nosso Rei recebendo a coroa de espinhos. Sinal de rejeição à verdadeira realeza de Nosso Senhor, que é feita de justiça e amor.

(Do Poema à Virgem, v. 4433-4444)
Sucumbiu Jesus, crivado de mil chagas,
a formosura, a glória, a luz de tua alma!
Quantas foram suas chagas,
tantas as dores que te alancearam,
pois que tu e teu Filho só éreis uma vida.
Encerrado no fundo de teu coração

sem ter jamais abandonado esta morada
do teu regaço
para depois morrer assim.
Traído e tão barbaramente trucidado,
não podia deixar de te rasgar o coração
com a espada mais atroz.
Teu amante coração
retalhou-o lastimosamente o azorrague.

4º mistério
A subida ao Calvário
Contemplamos Jesus recebendo a injusta sentença de morte. Em seus ombros é colocada a cruz e ele segue em direção ao calvário.

(Do Poema à Virgem, v. 4384-4394)
Olha como os duros espinhos lhes trespassam
as fontes sacratíssimas,
e lhe riscam rios de sangue
nas faces belas.
Não vês como esfarrapados cruelmente os membros
mal pode suster
nos ombros o peso desumano?
Repara como a ímpia dextra do algoz
encrava no madeiro com pregos ponteagudos
as mãos do inocente.
Também repara como com agudos pregos
no madeiro encrava,
os pés imaculados.

5º mistério
A morte na cruz

Contemplamos a crucificação e morte do Senhor na cruz. Por nós, o Senhor dá sua vida e nos doa a salvação.

(Do Poema à Virgem, v. 4465-4480)
Ele, porém, escolheu para si
a Cruz e os duros cravos
reservando a fria lança ao teu coração.
Descansa pois, ó Mãe,
já tens quanto querias,
toda esta dor te estala nas fibras do coração.
A ferida cruel que achou o corpo de Jesus
já frio pela morte,
só tu a sentiste no teu coração amante.
Ó chaga sagrada,
não foi o ferro de uma lança que te abriu,
mais sim o apaixonado amor
que ao nosso amor tinha Jesus
foi quem te abriu!
Ó caudal que borbulhou no seio do paraíso
de tuas águas se embebe e fertiliza a terra!
Ó estrada real, porta cravejada do céu,
torre de refúgio, abrigo de esperança!
Ó rosa a trescalar
o perfume divino da virtude!
Pedra preciosa, com que o pobre compra
um trono no céu!

MISTÉRIOS GLORIOSOS
(Meditam-se às quartas-feiras e aos domingos)

1º mistério
Ressurreição do Senhor
Contemplamos o Senhor Jesus, que vence a morte e aparece aos seus em sua glória, enchendo de alegria seus discípulos.

(Do Poema à Virgem, v. 4748-4760)
Crivada de feridas,
não mais horrível, não mais sujeita a dores,
não mais salpicada de nódoas rubras.
Foi-se o inverno
com a dura saraivada de tormentos,
foi-se a noite com as tempestades de sangue.
Voltou com a paz da primavera o claro dia,
já ressurgiu e nova luz lhe fulgurou na fase.
Não brilha tanto
a estrela da manhã quando desponta
na fímbria das auroras.
Não resplandece tanto o sol com o globo em chamas,
perante o seu Senhor ambos desmaiam.
Da escuridão de um túmulo fez esta Luz aurora
e dela tirou seu brilho o firmamento.
Das chagas de um morto
fez surgir a beleza da imortalidade.

2º mistério
A ascensão de Jesus

Contemplamos Jesus ascendendo aos céus, depois de realizar a obra de nossa salvação.

(Do Poema à Virgem, v. 4936-4957)
Refresque com suas águas
o fogo do amor que te consome.
Que rio impetuoso abrandará
essa tua fornalha?
Com que inundações se acalmarão
essas labaredas de amor?
Cravas os amorosos olhos no Filho
que está para galgar as celestiais alturas.
E arrancando do íntimo peito doces suspiros,
num gemido último
fixas o rosto belo prestes a sumir-se.
Ele em teu coração distila sua meiga palavra,
que como orvalho te refrigera a face.
mas quanto mais doce decorre seus lábios
a torrente que, mansa, te inunda o coração:
tanto mais as labaredas crescem
e ferve o sangue:
sua voz é sopro para tua chama.
Mas afinal deixas que a glória do Filho
vença a saudade da Mãe,
e ele parte para o céu.
São tais os gozos a transbordar
do seio palpitante,

que tu própria, que os sente, não podes expressá-los.
Quem no peito paterno
desceu às tuas maternais entranhas
e penetrou depois nos antros subterrâneos:
agora sobe dos abismos da terra
ao seio de seu Pai,
e te furta por momentos seu semblante.
É este, é este homem que encerraste
no lírio de teu seio,
que alimentaste com o orvalho de teu peito.

3º mistério
Pentecostes – A vinda do Espírito sobre Maria e os apóstolos

Contemplamos a vinda do Espírito sobre Maria e os apóstolos. Desse modo, os discípulos do Senhor recebem a força do alto para levar os ensinamentos de Jesus a todos os povos.

(Do Poema à Virgem, v. 5086-5101)
Reparta com mendigos seus tesouros.
É este o auxílio
que te pede o nosso hino:
Baixa, ó Santo Espírito, dos céus, em revoada
e manda-nos um raio de tua luz divina!
Vem, ó meigo pai dos pobres,
cujo amor dá o nome de filhos a mendigos!
Vem e cumula nosso peito de teus dons celestes,
ó inextinguível luz dos corações

e fogo que os devora!
Sim, vem e reergue com teu consolo a alma,
doce orvalho da mente e doce hóspede!
Frescura no cruel calor do sol ardente,
descanso amigo no trabalho duro!
Vertes consolações no pranto amargo,
dissipas as névoas do coração aflito.
Ó luz que me extasias,
aclara os teus fiéis com teu fulgor,
dissipa as trevas que a mente lhes envolvem!

4º mistério
Maria assunta aos céus
Depois de uma vida totalmente dedicada a Deus e ao seu plano de salvação, a Virgem Mãe do Senhor é levada aos céus.

(Do Poema à Virgem, v. 5235-5252)
Pomba celeste, com tuas asas leves
quebra à vida os laços,
do Pai, ó Filha amável; do Filho, Mãe querida, oh vem!
Feliz repousa enfim sobre meu peito,
é o lugar que mereceu o teu peito.
O triste inverno foi-se a primavera
voltou florida de purpúreas rosas.
Surgiu enfim, depois da noite
a luz que dura
o dia glorioso da eternidade.
Quebra os laços e vem sorver, ó Mãe,

os gozos de teu Filho:
vem descansar, ó Filha, no seio de teu Pai!
Quem pode compreender, ó Virgem, quanta glória,
quanta luz te inundou a alma
contemplando e ouvindo o teu doce Jesus!
"Eis que já vou!"
Respondes tu num hino de doçura
e tua alma, liberta dos grilhões da carne
se atira para Deus!
E nos braços do Filho repousa adormecida
enquanto doce sono lhe invade os membros puros.

5º mistério
Maria coroada Rainha dos anjos e dos santos
Contemplamos a Mãe do Rei, que é coroada rainha
por ter sempre escolhido o último lugar, por ter sido
sempre a serva fiel.

(Do Poema à Virgem, v. 1338-1348)
Já o Senhor pôs em ti o seu olhar:
do alto da esfera celeste, sua pupila
descansa nas pequenezes desta terra.
Quanto mais te crês indigna,
tanto mais digna te ergues para o céu,
e tua fronte brilha, quanto mais se esconde.
A simplicidade humilde e a humildade simples
do teu pensar
enamora o Espírito de Deus.
Por que te admiras de te fazerem

Rainha do céu,
se estás sempre a escolher na terra
o último lugar?

MISTÉRIOS LUMINOSOS
(Meditam-se às quintas-feiras)

1º mistério
Batismo de Jesus no Jordão
Contemplamos o Senhor Jesus, que se fazendo um de nós coloca-se junto aos pecadores e é conformado em sua missão pelo Pai na força do Espírito Santo.

(Do poema Sumo Pai, v. 610-620)
Abrindo o céu fechado, à pobre humanidade.
Ó amor a estuar em teu peito celeste,
Ó bondade infinita, é assim que quiseste
Socorrer nosso mal, que teu Filho sublime
Sofresse tal martírio e ao pagar nosso crime

Trocasse, em morte vil, santa vida que assume?
Filho eterno do Pai, lume vindo do lume,
Luz nascida da luz, Verbo que és a torrente
Do grão saber de Deus, Jesus todo clemente,
Única salvação, que num seio tão puro
uniste à terra o céu, toda luz ao escuro!

2º mistério
Milagre de Jesus nas bodas de Caná
Contemplamos a Mãe que não deseja que a alegria da festa termine, e o Filho que, em atenção ao pedido da mãe, realiza seu primeiro milagre.

(Do poema Purificação da Puríssima Virgem Maria, v. 17-28)
Celeiro és tu que o pão celeste e o vinho
guardas descanso para o meu labor,
vida, doçura, arrimo e Mãe querida
do belo Amor.
Quem me dará, bendita Mãe, que eu guarde,
no íntimo deste coração em luz,
teu coração que em seu centro encerra
o teu Jesus!

Ó Virgem Mãe, da castidade entrada,
renova às almas seu perdido brilho:
tornem-se assim imaculados templos
para teu Filho!

3º mistério
Anúncio do Reino de Deus com um convite à conversão
Contemplamos Jesus que, depois de trinta anos ocultos em Nazaré, inicia sua vida pública pregando o Reino do Pai e anunciando a salvação.

(Do Poema Vítima que aplacas, v. 189-196; 201-202)
Doenças que grassam n'alma, oh! Destrói, graça amada:
Torne-se ela mais sã, por tua mão curada.

Aquenta nosso frio ao calor que te inflama,
E o entorpecido amor se reacenda em chama!

Oh! Dá-nos desprezar os maus gozos do mundo,
Ó tu, repouso d'alma e seu prazer jocundo!

Retira o véu enfim, e concede-nos, Cristo.
Sejas por nós no céu mais claramente visto!

4º mistério
Transfiguração do Senhor
Contemplamos Jesus transfigurado no monte diante de seus discípulos. Desse modo, o Senhor, na presença de Moisés e Elias, realiza plenamente o que dizia a lei e os profetas. Deus não fala mais por meio dos homens, mas na boca de seu próprio Filho.

(Do Poema Vítima que aplacas, v. 139-140; 145-146; 165-166; 177-178)
Todo belo ele está na altitude celeste
E co'a luz de seu rosto o paraíso veste.

Tal mistério do céu, que entender não reclama,
Com toda audácia a fé não só o crê, mas ama.

Peço pois que me queime esse amor, brasa feito,
Ó Senhor nosso, ó fogo abrasador do peito!

Que o amor c'o amor se pague, e seus peitos devassem
amante e amado, e assim os corações se abracem.

5º mistério
Instituição da Eucaristia
Contemplamos o memorial de nossa salvação instituído por Jesus: a Eucaristia. Corpo e sangue do Senhor que nos alimenta nas espécies do pão e do vinho.

(Do Poema Sumo Pai, v. 393-394; 403-406; 409-410; 421-422; 429-430)
Nas espécies se oculta o Jesus que a nós veio,
Deus e fruto feliz do imaculado seio.

Acorrei, ó mortais! Dá-se a todos com zelo:
Pois o próprio manjar chama-vos a comê-lo!

Não é preciso dar por ele ouro nem prata:
Pode comê-lo o réu que o grave mal precata.

Este manjar é fogo e sua chama devora
Tanto o presente mal como o langor de outrora.

Nos puros corações põe virtudes de ornato,
E aumenta à débil alma o íntimo aparato.

Ó amor, bom pastor, dessa imensa acolhida!
Desta minh'alma, ó Deus, ó salvação e vida!

ESCRITOS DE SÃO JOSÉ DE ANCHIETA

SERMÃO DA ASSUNÇÃO DE NOSSA SENHORA
Pregado por São José de Anchieta
na Ilha de Vitória, ES, em 1588

Assumpta est Maria in coelum post multos labores et Requievit arca mense septimo super montes Armeniae[1]. (Gn 7,17; 8,14)

Acolhem-se todos os animais brutos a esta arca, betumada de dentro e de fora, e os homens e aves são os que voam pelo alto com seus espíritos, os quais por derradeiro, por mais santos que sejam, se a esta arca não se acolhem, perecerão no dilúvio.

Mas eles dentro, nem goteira de água padecem. E a boa da arca recebe em si todas as ondas, que a levavam para cá e para lá, dando naqueles sagrados costados de seu coração. Porque, como quer que ela tinha dentro dele seu Filho, sobre o qual o Eterno Pai alagou o grande dilúvio dos trabalhos e paixões, necessário era desse no coração da Virgem, onde ele estava guardado.

Por estas águas se andou nossa mãe trinta e três anos, enquanto ele viveu, padecendo com ele e guardando-nos a nós. As ondas, que a mim me houveram de alagar no abismo do inferno, assim como me tinham

---

[1] Após muitos trabalhos, Maria foi assunta ao céu e, assim, a arca descansou ao sétimo mês sobre os montes da Armênia.

alagado no abismo do pecado, esbarraram na arca, e ela, como bem betumada e mais forte que uma rocha, porque mais de Cristo, que é pedra angular, quebrou seu furor, recebendo em si a pena de minha culpa.

Ó boa mãe! Ó suave mãe! Ó doce mãe!

Ainda que estas águas tenham sido tão violentas, que lhe tomaram seu precioso Filho e lho mataram, contudo não tiveram poder para lhe tirarem de dentro os brutos animais dos pecadores, que Deus lhe tinha dado por filhos. Antes tanto mais os ama, quanto por eles mais alagado na paixão foi seu Filho e Senhor.

Para que mais? Ainda depois de subido ele ao céu, livre do mar tempestuoso, ela se ficou cá muitos anos, com os animais dentro de si, querendo anátema[2] e apartada da face divina, por seus filhinhos, com uma maior caridade que São Paulo, até que repousou essa divina arca no sétimo dia sobre os montes da Armênia.

Os sete meses são os sete dons do Espírito Santo, de que foi cheia, mais que todas as criaturas. E com esta abundância de graça, guardou os dez mandamentos perfeitissimamente. Multiplicando, pois, sete vezes dez, foi setenta, que são os setenta anos, que essa arca celestial andou pelas águas deste mundo, cheia dos sete dons do Espírito Santo, com cuja graça não somente guardou os dez mandamentos, mas também foi mostra deles a todo mundo com seu exemplo. Até que repousou sobre os montes da Armênia.

---

[2] Ref. Rm 9,3.

Armênia quer dizer luz do que corre: esta é a luz eterna, a claridade perpétua, a visão divina de Cristo, resplendor do Padre, o qual *exultavit ut gigans ad currendan viam*[3], dando grandes saltos de virtude pelo mar deste mundo, com tanta ligeireza que todos o perderam de vista em sua paixão, perdendo a fé, senão a sua mui betumada arca, que sempre o acompanhou, até o pé da cruz. E ainda que não correu tanto como ele, todavia sempre lhe foi pelo alcance, sem perder a luz da fé.

Por isso, com muita razão, o grande corredor, Cristo, seu Filho, em troco dela o alcançar o pé da cruz e ali estar recebendo em seu coração o embate das ondas, que ele recebia em seu corpo, a alevanta sobre os montes da Armênia, que são os Querubins e Serafins, dando-lhe mais clara luz e mais claro conhecimento que todos os Querubins, e mais incendido amor e mais suave fruição da divindade que todos os Serafins.

Outro mistério tem ainda a repousar a arca no mês sétimo. E é que, assim como Deus fez todas as suas obras em seis dias *et requievit septimo die*[4], assim a Virgem bendita, arca de Deus, andou seis dias de trabalho, porque todos os anos, que viveu neste mundo, foram para ela dias da semana, em que sempre trabalhou, até que chegou o domingo, em que foi descansar para sempre.

De maneira que quem neste mundo da semana faz domingo, no outro entrará na semana do trabalho eterno. E quem não faz mais caso desta vida que de uma semana

---

[3] Sl 18,6 (Como alegre herói, percorrendo o caminho).

[4] Gn 2,2 (E no sétimo dia descansou).

de trabalho, pois, à verdade, comparando-a com a eternidade, menos é que semana, cuidando que quanto padece é pouco por amor de seu Senhor e dizendo: *mihi obsit gloriari nisi in cruce Domini Nostri Jesu Christi*[5], como a Virgem gloriosa fazia, acabada a semana irá repousar ao sétimo dia, que é domingo de eterno descanso.

Se não sobre os montes da Armênia, ao menos entre os coros angélicos, onde alcançará a luz de Cristo corredor e da Virgem corredora, após os quais andava correndo nesta vida, seguindo seus exemplos de pobreza, castidade e obediência, dizendo-lhes: *in odorem unguentorum tuorum currimus*[6].

Se acaso interrogares por que se multiplicaram aquelas "dez vezes sete" acima, *dicam tibi: audi bene et nota in corde tuo*[7]:

A Virgem Santíssima, como a mais humilde que houve no mundo, nunca quis passar da espécie de diminuir, diminuindo-se sempre, aniquilando-se e tendo-se por escrava, mas porque seu Filho deu lei: *qui se humiliat, exaltabitur*[8] – da segunda espécie de diminuir, em que a Virgem se tinha posto, levantou-a à terceira de multiplicar, subindo-a mais alta que todas as três hierarquias dos anjos, dizendo-lhe: *amica, ascende superius*[9] a gozar mais perfeitamente que todos, das três

---

[5] Gl 6,4 (Gloriar-se somente na cruz de Nosso Senhor Jesus Cristo).
[6] Ct 1,3 (O odor dos teus perfumes é suave).
[7] (Eu te direi: ouve atentamente e grava em teu coração).
[8] Lc 14,11 (Quem se humilha será elevado).
[9] Lc 14, 10 (Amiga, vem mais para cima).

pessoas divinas, fazendo-a Senhora de todos os anjos e homens, e dizendo-lhe: *multiplicabo filios tuos sicut stellas coeli et sicut arenas maris.*[10]

E assim a que se tinha por menor do mundo foi feita uma arca tão grande de misericórdia, em cujos retretes e escaninhos se escondessem os pecadores e se salvassem do dilúvio do pecado, que reina em todos aqueles que não querem ser seus filhos.

Multiplicam-se seus filhos como as areias do mar e como as estrelas do céu, porque os que cá andam desprezados, como as areias ao longo do mar, considerando a vida da Virgem e imitando-a, segundo sua fraqueza, depois se fazem claros no céu como estrelas e mais que estrelas, pois o mesmo Sol da justiça diz: *fulgebunt justi sicut sol in regno Patris mei*[11].

Adhuc dicam tibi unum punctum[12], porque a verdadeira prova de multiplicar se faz por repartir, que é a quarta espécie. Para que os filhos da Virgem se multiplicassem e nós tivéssemos certa prova de seu materno amor, ensinou-lhe seu Filho a quarta e última espécie de repartir, fazendo-a repartidora de todos os seus bens.

Porque assim como, *ascendens Dominus in altum, accepit dona in hominibus*[13], recebeu de seu Pai Eterno o ofício de repartir suas graças e dons aos homens, assim

---

[10] Gn 22,17 (Eu te darei uma posteridade tão numerosa quanto as estrelas do céu e quanto a areia que está na praia do mar).
[11] Mt 13,43 (E os justos brilharão como o sol no Reino de meu Pai).
[12] (Proponho-te mais um tópico).
[13] Ef 4,8 e Sl 63,19 (Subindo o Senhor às alturas recebeu a soma de todos os dons, em favor dos homens).

também, levando consigo a Virgem sua mãe, deu-lhe poder sobre todas as suas coisas, fazendo-a repartidora, para que dando ela muitos dons a nós, seus pobres filhinhos, nos multiplicássemos em número e virtudes.

E nós, vendo tão certa prova de amor de nossa mãe, a amássemos com todo o coração e a servíssemos prostrados por terra, todos os dias desta semana, para ir descansar com ela no dia de domingo, quando ela nos acabará de repartir, não somente os dons e bens, mas dará de todo em todo a seu Filho e Senhor, que é todo, sumo e único Bem.

Ó pia Mater, esto nobis semper mater. Amen[14].

---

[14] (Ó mãe piedosa, sede sempre mãe para nós. Amém.)

DA CONCEIÇÃO DE NOSSA SENHORA

Poema composto em tupi para a recepção da imagem da Imaculada Conceição, na inauguração da igreja de Santa Ana na Aldeia de Guaraparim.

Ave Maria-porang,
karai'-bebé sosé,
nd'o-î abá nde îabé.
Kori ere-nhe-monhang
Santa Ana r-ygé pupé.

Ave Maria bela,
acima dos anjos,
não há ser humano como tu.
Hoje te geras
dentro do ventre de Sant'Ana.

Nd'o-îe-potar-i nde ri
ko'y, nde nhe-monhang-á-pe,
t-ub-ypy r-ekó-poxy,
nde pysyrõ-te i xuí
Tupã, nde r-aûsu-katu-á'-pe.

Não se desejou em ti
agora, ao te gerares,
a lei má do pai primeiro,
mas livrou-te dela
Deus, por te amar muito.

O-nhe-momotá xe anga
nde 'anga poranga ri.
T'a-royrõ tekó-poxy.
Nde r-ekó-katu r-a'anga,
i mokanhema suí

Atrai-se minh'alma
pela beleza de tua alma.
Que eu deteste o mau proceder.
imitando tua virtude,
para não a fazer perder.

E-ma'enã-ngatu xe ri,
xe mbo'ar-e'ym-uká.
T-ekó-pûera t'a-î-pe'a,
t'a-îkó um~e-ne maran-í,
Tupã nhe'enga r-apîá.

Vela por mim,
mandando que não me façam cair.
Que eu afaste o proceder antigo,
para que não seja mau,
obedecendo à palavra de Deus.

Î aysó, n'ipó, îasy,
og obá-gûasu r-eru.
Endé-te, pa'i Îesu
nde moaysó-eté i xuí,
nde r-e(ra)-momorã-ngatu.

Anhanga nde momburu,
nde r-obá r-epîá-poûsupa.
Xe-te, nde r-epîak-a'upa,
oro-amotá-katu,
xe py'a-pe nde r-aûsupa.

Kûarasy, n'ipó, o-berá,
putun-usu kuab-iré.
Nde-te, ere-berá i xosé,
oré r-esapébo pá,
nde r-ekó-katu pupé.

Putun-usu porarábo,
oro-îkotebẽ-ngatu.
Emonã-namo, ere-îu,
oré putuna pe'abo,
Tupã beraba r-eru.

Tupã nde r-aûsub-eté,
graça ri nde moynysema.
Nde nd'ere-roby-î ko'ema,
'ara r-ura îanondé
putun-usu mokanhema.

Anhanga monhegûasema,
s-ekó-poxy r-esebé,
ere-ru nde abaeté.

É formosa, certamente, a lua,
trazendo sua grande face.
Mas tu, o senhor Jesus
tornou-te mais formosa que ela,
teu nome festejando muito.

O diabo te amaldiçoa,
temendo ver tua face.
Mas eu, tendo saudades de ti,
quero-te muito bem,
amando-te em meu coração.

O sol certamente brilha,
após passar a grande noite.
Mas tu brilhas mais do que ele,
iluminando-nos todos
com tua virtude.

Suportando a grande noite,
estamos muito aflitos.
Assim, tu vens
para afastar nossa noite,
trazendo o brilho de Deus.

Deus ama-te muito,
de graça enchendo-te.
Tu não fazes azul a manhã
antes de o dia vir,
fazendo sumir a grande noite.

Afugentando o diabo,
com sua vida má,
trazes tua bravura.

E-îori muru mosema,
ta xe mokanhem umê.

Anhanga nde moabaîté,
nde suí o-sykyîébo.
Xe mopyatã îepé,
t'a-puam muru r-esé,
aûîérama i moaûîébo.

Oré r-ekó-poxy 'oka,
t'i nhyrõ Tupã orébo.
E-îori oré pokoka.
T'oro-s-apekó nde r-oka,
nde mem̃e nde moetébo.

O sy-rama r-esé nh̃e,
Îandé Îara nde monhang-i,
opab-i kunhã sosé,
nde momba'etébo é.
Ndaeté nde momorang-i.

Nde r-eburusu riré,
Tupã sy-ramo ere-îkó-ne.
Nd'oré poreaûsub-i xo'e-ne,
nde pyr-i oro-îkóbo nh̃e;
nd'oro-îkoteb̃e-bé-i xó-ne.

Nde r-esá por-aûsubara
Ero-bak ixé koty,
T'o-îe-'ok ixé suí
Xe r-esá poro-potara,
T'a-ma'̃e-ngatu nde ri.

Vem para fazer sair o maldito,
para que não faça perder-me.

O diabo te agasta,
de tu tendo medo.
Faze-me tu forte,
para que eu me oponha ao maldito,
para sempre vencendo-o.

Arrancando nosso mau proceder,
que perdoe Deus a nós.
Vem para nos guiar.
Que frequentemos tua casa,
a ti sempre te honrando.

Para sua futura mãe
Nosso Senhor te fez,
acima de todas as mulheres
honrando-te.
Grandemente te embelezou.

Após seres grande,
serás mãe de Deus.
Não seremos miseráveis,
junto de ti estando;
não estaremos mais aflitos.

Teus olhos misericordiosos
volta em minha direção,
para que se arranquem de mim
meus olhos concupiscentes,
para que eu olhe bem para ti.

Ko'y, nde nhe-monhang-aba o-gû-eru t-oryb-eté. S-ory karai'-bebé, s-ory pakatu apyaba, s-ory kunhã nde r-esé.	Agora tua conceição trouxe grande alegria. Felizes estão os anjos, felizes estão todos os homens, felizes estão as mulheres por tua causa.
Nde r-ok-angaturam-ûama, oro-î-moĩ, nde r-aûsupa, nde r-a'angaba r-erokupa. E-îori oré r-etama 'ara r-upi nhẽ,i xupa.	Tua casa santa edificamos, amando-te, tua imagem fazendo estar conosco. Vem, no dia de nossa terra, para visitá-la.
T'o-sẽe anhanga i xuí, gû ekó-poxy r-erosyîa. E-îori muru mondyîa, t'o-puam umẽ oré ri, o-gû atá'-pe oré r-ekyîa!	Que saia o diabo dela, fazendo afastar consigo seu mau proceder Vem pra fazer tremer o maldito, para que não nos assalte, para seu fogo nos arrastando.
Nde r-esé t-e'õ n'o-syk-i, t-ekobé îar-eté endé. Oré moîngobé îepé. Orébe t'oré mondyk-i, nde irũ-mo t'oro-îkobé.	A ti a morte não chegou, tu és a senhora verdadeira da vida. Faze-nos tu viver. Que ela nos visite. para que vivamos contigo.

RECADO DO AMOR DE DEUS

Poema composto pelo santo para a festa de
São Lourenço, em Niterói, RJ (1587)

Amor de Deus, com seu recado:

"Ama a Deus, que te criou,
homem, de Deus muito amado!
Ama, com todo cuidado,
a quem primeiro te amou.

Seu próprio Filho cedeu
à morte, por te salvar,
Que mais te podia dar,
pois quanto teve te deu?"

A mandado do Senhor,
disse eu o que tens ouvido.
Presta, pois, muito sentido:
eu, que sou o seu Amor,
devo ser bem entendido.

Todas as coisas criadas
conhecem seu criador.
E todas lhe têm amor
pois são por Ele guardadas,
cada qual com seu valor.

Se com tanta perfeição
o seu saber te formou,
homem capaz de razão,
de todo teu coração
ama a Deus que te criou!

E se amas a criatura
por te parecer formosa,
aquela visão graciosa
dessa mesma formosura
ama sobre toda coisa.

Dessa divina lindeza
deves estar enamorado.
Que tua alma seja presa
daquela suma beleza,
homem, de Deus muito amado!

Aborrece todo mal
com desgosto e com desdém,
E, por seres racional,
une-te a Deus imortal,
só, supremo e todo o bem.

Este abismo de fartura
em tempo algum esgotado,
esta fonte viva e pura,
este rio de doçura-
ama com todo cuidado.

Antes que criasse nada,
pela excelsa majestade
já uma vida te foi dada
e foi tua alma abrasada
numa eterna caridade.

Por fazer-te todo seu,
com amor te cativou;
e se Ele tudo te deu,
dá todo esse amor, que é o teu,
a quem primeiro te amou.

Deu-te Deus alma imortal
digna d'Ele e, pois, sem preço
para que ficasses preso
àquele bem eternal
que é sem-fim e sem começo.

Quando na morte caíste,
outra vez vida te deu,
pois sair não conseguiste
da culpa a que tu serviste,
seu próprio Filho cedeu.

Entregou-O como escravo,
e quis que fosse vendido,
para que tu, redimido
do leão poderoso e bravo,
lhe fosses reconhecido.

Para que não morras, morre
como amor mui singular,
Ah! Quanto deves amar
a esse Deus, que assim recorre
à morte por te salvar!

O Filho, que o Pai produz,
seu Pai por teu pai te lega,
e te infunde a sua luz,
e quando morre na cruz,
sua Mãe por mãe te entrega.

Deu-te fé com esperança,
e a si mesmo por manjar,
para em si te transformar
numa bem-aventurança:
que mais te podia dar?

Em paga de tudo – presta
atenção, ó pecador! –
pede apenas teu amor.
Tens que dar quanto te resta
por ganhar um tal Senhor.

Dá-lhe tudo pelos bens
que ao morrer te concedeu.
Tu és d'Ele, não és teu.
Dá-lhe tudo quanto tens,
pois quanto teve te deu.

PRINCIPAIS OBRAS DE SÃO JOSÉ DE ANCHIETA

- *De gestis Mendi de Saa* ("Os feitos de Mem de Sá"). Primeiro poema épico da América, tornando-se, assim, o primeiro poema brasileiro impresso, e, ao mesmo tempo, a primeira obra publicada de Anchieta.

- *Arte da Gramática da Língua mais usada na costa do Brasil*, impressa em Coimbra em 1595. É a primeira gramática contendo os fundamentos da língua tupi.

- *De Beata Virgine Dei Matre Maria* (Poema à Virgem). Foi composto por Anchieta quando ficou refém dos tamoios, em Ubatuba, em 1563. Além de sua riquíssima teologia e poesia, com quase cinco mil versos, é o maior poema existente dedicado à Virgem Maria.

- *Poemas eucarísticos*. Por meio do imenso amor de Anchieta pelo Santíssimo Sacramento, o poeta dedicou-lhe versos de grande riqueza teológica e catequética.

- *Teatros e Autos*. São inúmeros os autos escritos por Anchieta para a catequese dos indígenas. Destacam-se, de modo especial, o Auto da Pregação Universal (1567), o Auto de São Lourenço (1586) e sua última obra teatral, o Auto da Visitação (maio de 1597).

- *Cartas e correspondências.* São preciosíssimas, tanto por seu sentido espiritual, como pelos aspectos histórico e cultural. Destacam-se a *Carta de São Vicente*, que é considerada o primeiro relato descritivo da mata atlântica brasileira, da cultura e dos costumes indígenas; e a *Carta ao Prepósito Geral da Companhia de Jesus Inácio de Loyola*, escrita em agosto de 1554, que é considerada a certidão de batismo da cidade de São Paulo.

- *Sermões.* Dentre os preciosos sermões de São José de Anchieta, citamos o Sermão da Assunção de Nossa Senhora, pregado em Vitória, em 1588, (presente nesta obra); também o Sermão da conversão de São Paulo, pregado em Piratininga (São Paulo), em 1568.

CANÇÕES A SÃO JOSÉ DE ANCHIETA

1. Ladainha de São José De Anchieta *(versão cantada)*
Anchieta, rogai por nós, intercedei a Deus por nós
Em Tenerife tu nasceste, intercedei.
Parte das Ilhas Canárias, intercedei.
Mesmo sendo espanhol, intercedei.
Brasileiro te fizeste, intercedei.
Anchieta, rogai por nós, intercedei a Deus por nós.
Missionário generoso, intercedei.
Catequista mui zeloso, intercedei.
Ensinaste a nossos índios, intercedei.
De Jesus, os seus caminhos, intercedei.
Anchieta, rogai por nós, intercedei a Deus por nós.
Poeta de nossas línguas, intercedei.
Dramaturgo mui exímio, intercedei.
Com os "Autos" que criaste, intercedei.
O Evangelho tu pregaste, intercedei.
Anchieta, rogai por nós, intercedei a Deus por nós.
Jesuíta exemplar, intercedei.
Enfermeiro te fizeste, intercedei.
Para os índios libertar, intercedei.
E das doenças os curar, intercedei.
Anchieta, rogai por nós, intercedei a Deus por nós.
Devoto da Mãe de Deus, intercedei.
Nossa Senhora da Assunção, intercedei.
Que por nós seu Filho deu, intercedei.

Trazendo a salvação, intercedei.
Anchieta, rogai por nós, intercedei a Deus por nós.
Homem pacificador, intercedei.
Conciliaste nossos povos, intercedei.
Tua vida entregaste, intercedei.
Como refém, Te tornaste, intercedei.
Anchieta, rogai por nós, intercedei a Deus por nós.
Grande Apóstolo do Brasil, intercedei.
Incansável servidor, intercedei.
Foste Pai para as crianças, intercedei.
E dos jovens protetor, intercedei.
Anchieta, rogai por nós, intercedei a Deus por nós.
Tu que amaste tanto a Igreja, intercedei.
Pela paróquia te pedimos, intercedei.
Por nossas comunidades, intercedei.
Gente de todas as idades, intercedei.
Anchieta, rogai por nós, intercedei a Deus por nós.

2. Catequista, missionário e poeta
Catequista, missionário e poeta,
ensinaste o Brasil a rezar, faz que
agora caminhemos unidos, com o Cristo
Libertador.
**Anchieta, santo da nossa raça, santifica
estas plagas, este imenso Brasil!**
**Anchieta, qual cruzeiro celeste, ilumina
esta pátria, que nasceu sob a cruz!**
Sob o manto da Santíssima Virgem, com
coragem enfrentaste o mal, com amor
o evangelho pregaste, proclamando a

Salvação.
Pelo bem que fizeste ao povo, novo
Cristo desta terra tu foste, Anchieta
ergue a voz e as mãos ao Pai, suplicando
Por todos nós.
Foste simples com as nossas crianças,
foste Pai para o índio inocente, foste
irmão junto ao povo sofrido, que te
aclama com o coração.

3. Missionário incansável

Missionário incansável, padre, amigo
e irmão, homem forte e valente todo
entregue à missão!
Das Canárias ao Brasil há uma voz que se
levanta, São José de Anchieta, tua vida nos
encanta!
**Anchieta, santo, missionário e
intercessor! Vem nos ajudar a bem servir
ao reino do Senhor!**
A maior glória de Deus, a glória maior
do povo!
Literato e poeta, profeta de um mundo
novo. Da Bahia a São Paulo há uma voz que
se levanta, São José de Anchieta, tua arte
nos encanta!
De cidades, fundador, toda vida um
louvor!
És um exemplo de luta, com as armas do
amor. Do Espírito Santo ao rio há uma voz

Que se levanta, São José de Anchieta, tua força nos encanta!
Companheiro de Jesus, devoto da mãe Maria, boa nova a tu vida, servindo com alegria, do ventre da terra mãe há uma voz que se levanta, São José de Anchieta, testemunho que encanta!

4. O poeta escreveu na areia

O poeta escreveu na areia
o poema que a virgem inspirou.
Depois da última rima,
veio a onda do mar e apagou.
A praia de Benevente, que os santos versos guardou, repete ao sopro da brisa
as palavras que Anchieta rimou.
O rio que corre da serra do Alto Joeba pro mar reflete ainda tranquila a imagem de Anchieta a implorar.
Em Benevente, meu Pai, meus dias quero findar.
Cá nesta terra eu quero eternamente morar.
Benevente, teu filho hoje volta a viver a imensa alegria de ouvir junto ao mar, sobre a areia, o poema da Virgem Maria.

5. Anchieta teu poema na areia

Anchieta teu poema na areia/ uma onda tão suave apagou/ mas fizestes com que **o homem sempre creia/ na palavra que o Cristo nos deixou.**

Anchieta missionário por amor,/
catequista veio a todos ensinar/
**a verdade salvadora do Senhor/ que
alimenta a fé e ajuda a caminhar. (bis)**
Anchieta desde cedo deixa os seus;/ parte
assim para seguir sua vocação/ **era forte
O chamado do seu Deus/ e servir passou a
ser sua missão. (bis)**
Anchieta um dia atravessou o mar,/
encontrando nova terra, nova gente/ **seu
trabalho para evangelizar,/ doutrinar
aquele mundo diferente. (bis)**
Foi assim que alguém um dia, por amor,/
adotou nosso país para viver,/ **mas o povo**
não esquece seu fervor;/ **os seus passos nós
queremos refazer. (bis)**

6. São José de Anchieta
São José de Anchieta
nesta terra aqui chegou,
com sua fé e coragem
o povo evangelizou.
Catequista e poeta, os índios abençoou,
Anchieta foi chamado
o santo servo do Senhor.
Neste chão abençoado,
seu legado ele deixou,
defensor do oprimido
com chave do amor.
No ventre de nossa terra,

esse homem descansou,
Carregando no seu peito
a cruz do Nosso Senhor.
Homem forte de coragem
e de muita devoção,
curando muitos doentes
e fazendo oração.
Fez uma prece a Maria,
pedindo proteção.
Anchieta foi chamado
o Santo da nossa Nação.

Aqui neste Santuário
deixou uma grande lição,
educou o nosso povo
em uma religião.
Companheiro missionário
cumpriu sua missão,
Anchieta foi devoto da Senhora da Assunção. (2x)

7. Não foi um sonho, eu sei
Não foi um sonho, eu sei.
Se foi milagre,
quem poderá dizer?
Só sei que um dia chegou
ao menino Brasil
um gigante menino,
que a todos serviu
e que fez palpitar esta imensa nação.
Curou, catequizou, abençoou

amou, amou demais, ardente amor.
Fez da terra virgem seu torrão,
deu aos Curumins seu coração.
Cantou, falou Tupi – poetizou.
Ilustre, grã-guerreiro assaz lutou
e fez do seu sonhar
mais linda realidade,
floriu de esperança nosso céu.
Sonhar menino santo,
sonhar doce menino,
sonhar nas longes terras de Tupã,
dar vida ao teu sonho mais bonito.
José de Anchieta, Pai – Irmão –
Herói, soube cumprir sua missão.
És nosso Santo, amigo, exemplo e protetor,
terás eternamente o nosso amor.

HOMILIA DO PAPA JOÃO PAULO II NA CERIMÔNIA DE BEATIFICAÇÃO DE JOSÉ DE ANCHIETA

22 de junho de 1980

"Louvai ao Senhor porque é bom, porque é eterna sua misericórdia" (Sl 135[136],1).

Esse atraente convite do Salmista a unirmo-nos todos na glorificação de Deus, por sua infinita bondade e misericórdia, hoje aceita-o a Igreja toda, cheia de transbordante alegria, pois pode inclinar-se a venerar cinco Filhos seus, elevados às honras dos altares mediante a Beatificação e, ao mesmo tempo, pode apresentá-los à imitação dos fiéis e à admiração do mundo: são um Jesuíta, "Apóstolo do Brasil", *José de Anchieta*; uma mística missionária, *Maria da Encarnação* (Guyart); um terceiro-franciscano fundador da Congregação Betlemita, *Pedro de Betancur*; um Bispo, *Francisco de Montmorency-Laval*; e uma jovem virgem pele-vermelha *Catarina Tekakwitha*.

Neles distribuiu Deus sua bondade e sua misericórdia, enriquecendo-os com sua graça; amou-os com amor paterno, mas exigente, que prometia só provas e sofrimentos; convidou-os e chamou-os à santidade heroica; tirou-os de suas pátrias de origem e convidou-os para outras terras, a fim de anunciarem, no meio de indizíveis fadigas e dificuldades, a mensagem do Evangelho. Dois são filhos da Espanha, dois da França, e uma nasceu na zona que hoje corresponde ao Estado de Nova Iorque, e passou depois o resto da vida no Canadá. Como Abraão eles, em certa altura da vida, ouviram – persuasiva, misteriosa e imperiosa – a voz de Deus: "Deixa tua terra, tua família e a casa de teu pai, e vai para a terra que Eu te indicar (*Gn* 12,1). Obedeceram, com disponibilidade humanamente inexplicável, e foram para zonas desconhecidas, não para procurar riquezas e glórias mundanas, não para fazer da própria vida uma aventura interessante, mas simplesmente para anunciar aos próprios contemporâneos que Deus é amor, que Jesus de Nazaré é o Messias e o Senhor, o Filho de Deus encarnado, o supremo Salvador e Redentor e o definitivo Libertador do homem, de cada homem, de todo o homem.

As vicissitudes terrenas, por que passaram, decorreram ao todo, em cerca de 150 anos, entre 1534 e 1680: período caracterizado por complexos fenômenos sociais, políticos, culturais, econômicos e, no campo eclesial, além do mais, pelo Concílio de Trento e pela instituição por Gregório XV, em 1622, da Congregação de *Propaganda Fidei*, que animou o grandioso despertar e o indomável impulso missionário da Igreja na época moderna.

E um incansável e genial missionário é *José de Anchieta*, que aos dezessete anos, diante da imagem da Santa Virgem Maria na Catedral de Coimbra, faz voto de virgindade perpétua e decide dedicar-se ao serviço de Deus. Tendo ingressado na Companhia de Jesus, parte para o Brasil no ano de 1553, onde, na missão de Piratininga, empreende múltiplas atividades pastorais com o escopo de aproximar e ganhar para Cristo os índios das florestas virgens. Ele ama com imenso afeto seus irmãos "Brasis", participa de sua vida, aprofunda-se em seus costumes e compreende que sua conversão à fé cristã deve ser preparada, ajudada e consolidada por um apropriado trabalho de civilização, para sua promoção humana. Seu zelo ardente move-o a realizar inúmeras viagens, cobrindo distâncias imensas no meio de grandes perigos. Mas a oração contínua, a mortificação constante, a caridade fervente, a bondade paternal, a união íntima com Deus, a devoção filial à Virgem Santíssima – que ele celebra em um longo poema de elegantes versos latinos – dão a este grande filho de Santo Inácio uma força sobre-humana, especialmente quando deve defender, contra as injustiças dos colonizadores, seus irmãos indígenas. Para eles compõe um catecismo, adaptado a sua mentalidade e que contribuiu grandemente para sua cristianização. Por tudo isso, ele bem mereceu o título de "Apóstolo do Brasil".

Cheios de comovida alegria, agradecemos a Deus continuar a conceder generosamente à Igreja o dom da santidade, e inclinamo-nos reverentes a venerar os novos Beatos e as novas Beatas, de que traçamos brevemente a fisionomia espiritual; escutemos com docilidade a mensagem que nos dirigem, com a energia de seu testemunho. Verdadeiramente, mediante a fé, seus corações abriram-se com generosidade à Palavra de Deus e tornaram-se habitação de Cristo. Eles, radicados e fundados na caridade, atingiram especial profundidade de conhecimento e compreensão do misterioso desígnio divino de salvação, e souberam o que é o amor de Cristo, que ultrapassa todo o conhecimento (cf. Ef 3,17-19). Neste dia de glória, recordam-nos que nós somos todos convidados e obrigados a procurar a santidade e a perfeição de nosso próprio estado (cf. *Lumen Gentium*, 42) e que a Igreja, que vive no tempo, por sua natureza, é missionária e deve pisar de novo o mesmo caminho seguido por Cristo, isto é, o caminho da pobreza, da obediência, do serviço e do sacrifício de si mesmo, até à morte (*Ad Gentes* 1, 5).

Ó Beatos e Beatas, que hoje a Igreja peregrina glorifica e exalta, dai-nos a força de imitar vossa fé límpida, quando nos encontrarmos nos momentos de trevas; vossa serena esperança, quando nos encontrarmos abatidos pelas dificuldades; vossa ardente caridade para com Deus, quando formos tentados a idolatrar as criaturas; vosso amor delicado para com os irmãos, quando quisermos fechar-nos em nosso individualismo egoísta!

Ó Beatos e Beatas, abençoai vossas Pátrias, as de origem e as que vos foram dadas por Deus, como a "Terra Prometida" a Abraão, as quais vós amastes, evangelizastes e santificastes!

Ó Beatos e Beatas, abençoai a Igreja toda, peregrina que espera a Pátria definitiva!

Ó Beatos e Beatas, abençoai o mundo, que tem fome e sede de santidade!

Beato José de Anchieta, Beata Maria da Encarnação, Beato Pedro de Betancur, Beato Francisco de Montmorency-Laval e Beata Catarina Tekakwitha, rogai por nós.

HOMILIA DO PAPA FRANCISCO NA SANTA MISSA DE AÇÃO DE GRAÇAS PELA CANONIZAÇÃO DE SÃO JOSÉ DE ANCHIETA, SACERDOTE PROFESSO DA COMPANHIA DE JESUS

Igreja de Santo Inácio de Loyola – Roma
24 de abril de 2014

No trecho do Evangelho, que há pouco ouvimos, os discípulos não conseguem acreditar na alegria que sentem, pois não podem crer por causa desta alegria. Assim diz o Evangelho. Analisemos a cena: Jesus ressuscitou, os discípulos de Emaús narraram sua experiência: também Pedro afirma que o viu. Sucessivamente, o próprio Senhor aparece na sala e diz-lhes: "A paz esteja convosco!" Vários sentimentos irrompem nos corações dos discípulos: medo, surpresa, dúvida e, finalmente, alegria. Um júbilo tão grande que, devido a esta alegria, "não conseguiam acreditar". Estavam assustados, transtornados, e Jesus, praticamente esboçando um sorriso, pede-lhes algo para comer e começa a explicar as Escrituras, abrindo-lhes a mente para que pudessem compreendê-las. É o momento da admiração, do encontro com Jesus Cristo, em que tanta alegria não nos parece verdadeira; ainda mais, assumir a alegria, o júbilo daquele instante, parece-nos arriscado e sentimos a tentação de nos refugiarmos no ceticismo, no "não exageres!" É mais fácil acreditar em um fantasma do que em Cristo vivo! É mais fácil ir ter com um necromante que nos prediz o futuro, que nos lê as cartas, do que ter confiança na esperança de um Cristo vencedor, de um Cristo que venceu a morte! É mais fácil uma ideia, uma imaginação, do que a docilidade a este Senhor que ressuscita da morte e só Deus sabe para que nos convida! Esse processo de relativizar tanto a fé acaba por nos afastar do encontro, distanciando-nos da carícia de Deus. É como se "destilássemos" a realidade do encontro com Jesus Cristo no alambique do medo, no alambique da segurança excessiva, do desejo de controlarmos, nós mesmos, o encontro. Os discípulos tinham medo da alegria... e também nós!

A leitura dos Atos dos Apóstolos fala-nos de um paralítico. Ouvimos somente a segunda parte da história, mas todos nós conhecemos a transformação deste homem, aleijado de nascença, prostrado à porta do Templo a pedir esmolas, sem nunca atravessar seu limiar, e como seus olhos fitaram o olhar dos Apóstolos, esperando que lhe dessem algo. Pedro e João não podiam oferecer-lhe nada daquilo que ele procurava: nem ouro nem prata. E ele, que tinha permanecido sempre à porta, entra agora com os próprios pés, saltando e louvando a Deus, celebrando suas maravilhas. E sua alegria é contagiosa. É isto que nos diz a Escritura de hoje: as pessoas estavam cheias de enlevo e, admiradas, acorriam para ver esta maravilha! E no meio daquela confusão, daquela estupefação, Pedro anunciava a mensagem. A alegria do encontro com Jesus Cristo, aquela que temos tanto medo de aceitar, é contagiosa e clama o anúncio: é ali que a Igreja cresce! O paralítico acredita, porque "a Igreja não se desenvolve por proselitismo, mas por atração"; a atração do testemunho daquela alegria que anuncia Jesus Cristo. Esse testemunho que nasce da alegria acolhida e, em seguida, transformada em anúncio. Trata-se da alegria fundante! Sem essa alegria, sem esse júbilo, não se pode fundar uma Igreja! Não se consegue instituir uma comunidade cristã! É uma alegria apostólica, que se irradia, que se propaga. Como Pedro, também eu me interrogo: "Sou capaz, como Pedro, de me sentar ao lado de meu irmão e de lhe explicar lentamente a dádiva da Palavra que recebi e de o contagiar com minha alegria? Sou capaz de convocar ao meu redor o entusiasmo daqueles que descobrem em nós o milagre de uma vida nova, que não se consegue controlar, e à qual devemos docilidade, porque nos atrai e nos conduz? E essa vida nova nasce do encontro com Cristo?

Também São José de Anchieta soube comunicar o que ele mesmo experimentara com o Senhor, aquilo que tinha visto e ouvido dele; o que o Senhor lhe comunicava em seus exercícios. Ele, juntamente com Nóbrega, é o primeiro jesuíta que Inácio envia para a América. Um jovem de 19 anos... Era tão grande a alegria que ele sentia, era tão grande seu júbilo, que fundou uma Nação: lançou os fundamentos culturais de uma Nação em Jesus Cristo. Não estudou teologia, também não estudou filosofia, era um jovem! No entanto, sentiu sobre si mesmo o olhar de Jesus Cristo e deixou-se encher de alegria, escolhendo a luz. Esta foi e é sua santidade. Ele não teve medo da alegria.

São José de Anchieta escreveu um maravilhoso hino à Virgem Maria, à qual, inspirando-se no cântico de Isaías 52, compara o mensageiro que proclama a paz, que anuncia a alegria da Boa Notícia. Ela, que naquela madrugada de Domingo, sem sono, por causa da esperança, não teve medo da alegria, acompanhe-nos em nosso peregrinar, convidando todos a levantar-se, a renunciar às paralisias para entrar juntos na paz e na alegria que nos promete Jesus, Senhor Ressuscitado.

MISSA SOLENE DE SÃO JOSÉ DE ANCHIETA, APÓSTOLO E PADROEIRO DO BRASIL

Antífona de entrada (Is 52,7)
Como são belos sobre os montes
os pés do mensageiro que anuncia a paz,
que traz a boa-nova e proclama a salvação!

Oração da Coleta
Derramai sobre nós, Senhor, vossa graça, para que, a exemplo de São José de Anchieta, como servos fiéis do Evangelho, fazendo-nos tudo para todos, ganhemos para vós, na caridade de Cristo, nossos irmãos. Por nosso Senhor Jesus Cristo, vosso Filho, que é Deus convosco na unidade do Espírito Santo. Amém!

LITURGIA DA PALAVRA

Primeira Leitura *(Is 52,7-10)*
Do livro do Profeta Isaías.
Como são belos, andando sobre montes, os pés de quem anuncia e prega a paz, de quem anuncia o bem e prega a salvação, e diz a Sião: "Reina teu Deus!"
Ouve-se a voz de teus vigias, eles levantam a voz, estão exultantes de alegria, sabem que verão com os próprios olhos o Senhor voltar a Sião.

Alegrai-vos e exultai ao mesmo tempo, ó ruínas de Jerusalém. O Senhor desnudou seu santo braço aos olhos de todas as nações; todos os confins da terra hão de ver a salvação que vem de nosso Deus.
– Palavra do Senhor.

Salmo *(95[96],1-2a.2b-3.7-8a.10 [R3])*
– Anunciai entre as nações as maravilhas do Senhor!
Cantai ao Senhor Deus um canto novo,/ cantai ao Senhor Deus, ó terra inteira!
Cantai e bendizei seu santo nome!/ Dia após dia anunciai sua salvação,/ manifestai a sua glória entre as nações,/ e entre os povos do universo seus prodígios!

Ó família das nações, dai ao Senhor,/ nações, dai ao Senhor poder e glória,/ dai-lhe a glória que é devida ao seu nome!/ Publicai entre as nações: "Reina o Senhor!"/ Ele firmou o universo inabalável,/ e os povos ele julga com justiça.

Segunda Leitura *(1Cor 9,16-19.22-23)*
Da primeira Carta de São Paulo aos Coríntios.
Irmãos, pregar o evangelho não é para mim motivo de glória. É antes uma necessidade para mim, uma imposição. Ai de mim se eu não pregar o evangelho! Se eu exercesse minha função de pregador por iniciativa própria, eu teria direito a salário. Mas, como a iniciativa não é minha, trata-se de um encargo que me foi confiado. Em que consiste então meu salário? Em pre-

gar o evangelho, oferecendo-o de graça, e sem usar os direitos que o evangelho me dá.
Assim, livre em relação a todos, eu me tornei escravo de todos, a fim de ganhar o maior número possível. Com os fracos, eu me fiz fraco, para ganhar os fracos. Com todos, eu me fiz tudo, para certamente salvar alguns. Por causa do evangelho eu faço tudo, para ter parte nele.
– Palavra do Senhor.

Ou *(1Cor 1,18-25)*

Da primeira Carta de São Paulo aos Coríntios.
Irmãos, a pregação a respeito da cruz é uma insensatez para os que perdem, mas para os que salvam, para nós, ela é poder de Deus. Com efeito, está escrito: "Destruirei a sabedoria dos sábios e frustrarei a perspicácia dos inteligentes". Onde está o sábio? Onde está o mestre da Lei? Onde está o questionador deste mundo? Acaso Deus não mostrou a insensatez da sabedoria do mundo? De fato, na manifestação da sabedoria de Deus, o mundo não chegou a conhecer Deus por meio da sabedoria; por isso, Deus houve por bem salvar os que creem por meio da insensatez da pregação.
Os judeus pedem sinais milagrosos, os gregos procuram sabedoria; nós, porém, pregamos Cristo crucificado, escândalo para os judeus e insensatez para os pagãos. Mas para os que são chamados, tanto judeus como gregos, esse Cristo é poder de Deus e sabedoria

de Deus. Pois o que é dito insensatez de Deus é mais sábio do que os homens, e o que é dito fraqueza de Deus é mais forte do que os homens.
– Palavra do Senhor.

Aclamação ao Evangelho *(Mc 1,17)*
– Aleluia, aleluia, aleluia!
Vinde comigo, diz o Senhor, e farei de vós pescadores de homens.

Evangelho *(Lc 5,1-11)*
Proclamação do Evangelho de Jesus Cristo segundo Lucas. Naquele tempo, Jesus estava na margem do lago de Genesaré e a multidão apertava-se ao redor de Jesus para ouvir a Palavra de Deus. Jesus viu duas barcas paradas na margem do lago. Os pescadores haviam desembarcado e lavavam as redes. Subindo numa das barcas, que era de Simão, pediu que se afastasse um pouco da margem. Depois sentou-se e, da barca, ensina as multidões. Quando acabou de falar, disse a Simão: "Avança para águas mais profundas, e lançai vossas redes para a pesca". Simão respondeu: "Mestre, nós trabalhamos a noite inteira e nada pescamos. Mas, em atenção à tua palavra, vou lançar as redes". Assim, fizeram, e apanharam tamanha quantidade de peixes que as redes se rompiam. Então fizeram sinal aos companheiros da outra barca, para que viessem ajudá-los. Eles vieram, e encheram as duas barcas, a ponto de quase afundarem. Ao ver aquilo, Simão Pedro atirou-se

aos pés de Jesus, dizendo: "Senhor, afasta-te de mim, porque sou um pecador!" É que o espanto se apoderara de Simão e de todos os seus companheiros, por causa da pesca que acabavam de fazer. Tiago e João, filhos de Zebedeu, que eram sócios de Simão, também ficaram espantados. Jesus, porém, disse a Simão: "Não tenhas medo! De hoje em diante tu serás pescador de homens". Então levaram as barcas para margem, deixaram tudo e seguiram a Jesus.
– Palavra da Salvação.

LITURGIA EUCARÍSTICA

Oração sobre as oferendas
Olhai, ó Deus todo-poderoso, as oferendas que vos apresentamos na festa de São José de Anchieta, e concedei-nos imitar os mistérios da paixão do Senhor que agora celebramos. Por Cristo, nosso Senhor.
(Prefácio dos santos pastores)

Antífona de Comunhão
Ide por todo o mundo e proclamai o Evangelho. Eu estou sempre convosco até o fim dos tempos, diz o Senhor.

Oração depois da Comunhão
Ó Deus, pela força deste sacramento, confirmai vossos filhos e vossas filhas na verdade da fé, pela qual São José de Anchieta jamais deixou de trabalhar, consa-

grando-lhe toda a sua vida. Fazei que nós também a proclamemos por toda parte com palavras e ações. Por Cristo, no Senhor.

Bênção final
– O Deus, que é nosso Pai e nos reuniu hoje para celebrar a festa de São José de Anchieta (Padroeiro do nosso Brasil), abençoe-vos, proteja-vos de todo mal e vos confirme na paz.
– **Amém.**
– O Cristo Senhor, que manifestou em São José de Anchieta a força renovadora da Páscoa, torne-vos testemunhas de seu evangelho.
– **Amém.**
– O Espírito Santo, que em São José de Anchieta nos ofereceu um sinal de solidariedade fraterna, torne-vos capazes de criar na Igreja uma verdadeira comunhão de fé e amor.
– **Amém.**
– Abençoe-vos, Deus todo-poderoso, Pai, Filho e Espírito Santo.
– **Amém.**

O SANTUÁRIO NACIONAL DE SÃO JOSÉ DE ANCHIETA

Como já sabemos, São José de Anchieta morreu aos 63 anos, na aldeia de Reritiba, fundada por ele no litoral sul do Espírito Santo, a 80 km de Vitória. Mais tarde, a aldeia tornou-se cidade e foi honrada com o nome do santo. Hoje, a igreja de Nossa Senhora da Assunção, construída pelo apóstolo do Brasil, juntamente com os índios, passou a integrar o Santuário Nacional de São José de Anchieta, um conjunto arquitetônico do período colonial do Brasil, que reúne também a praça da Matriz e o Museu São José de Anchieta.

A Igreja Matriz Nossa Senhora da Assunção foi construída no século XVI, na chegada do padre Anchieta com os indígenas da região. Os índios construíram a igreja e a cela (quarto do padre Anchieta), onde ele morreu.

O Conjunto Jesuítico de Anchieta destaca-se pela importância que teve no processo de inculturação religiosa dos índios *puris* e *tupiniquins*, conduzido pela Companhia de Jesus no tempo da Colônia – modelo considerado pioneiro no Brasil –, e também por ter sido o lugar onde o padre José de Anchieta passou os últimos anos de sua vida.

Em 1943, o Instituto do Patrimônio Histórico e Artístico Nacional, reconhecendo a relevante importância desse monumento para a Memória Nacional, promoveu seu tombamento.

Em 2014, com a canonização de São José de Anchieta, o Santuário ganhou mais atenção de todos. Todos os dias, especialmente no dia 9 de junho, milhares de pessoas recorrem ao Santuário para celebrar a memória do Padroeiro e Apóstolo do Brasil

Em 2015, a Conferência Nacional dos Bispos do Brasil (CNBB) declarou Santuário Nacional o quarto onde o santo faleceu e nomeou São José de Anchieta padroeiro da nação brasileira.

Visite o Santuário Nacional de São José de Anchieta!

ÍNDICE

Prefácio 5
Quem foi o grande Apóstolo do Brasil? 9
Um dos mais longos processos de canonização 18
Datas significativas de São José de Anchieta 23
Títulos de São José de Anchieta 24
Novena de São José de Anchieta 25
Bênçãos e orações 45
Meditando os mistérios do Rosário com
São José de Anchieta 56
Escritos de São José de Anchieta 75
Principais obras de São José de Anchieta 91
Canções a São José de Anchieta 93
Homilia do Papa João Paulo II na cerimônia
de beatificação de José de Anchieta 100
Homilia do Papa Francisco na santa missa de
ação de graças pela canonização de
São José de Anchieta 105
Missa solene de São José de Anchieta 109
O Santuário Nacional de São José de Anchieta 115

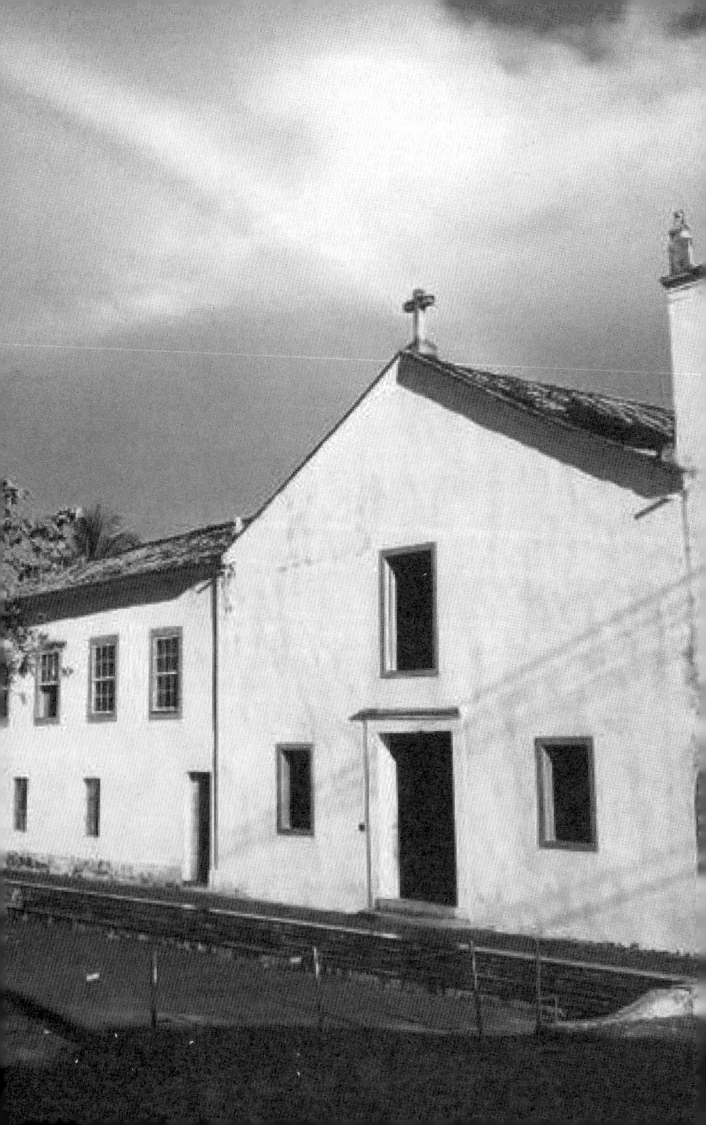

A marca FSC® é a garantia de que a madeira utilizada na fabricação do papel deste livro provém de florestas que foram gerenciadas de maneira ambientalmente correta, socialmente justa e economicamente viável.

Este livro foi composto com as famílias tipográficas Dunbar, Segoe e Times New Roman e impresso em papel Offset 75g/m² pela **Gráfica Santuário.**